成长不迷茫
校园励志小说

美少女与七色花

饶雪莉 著

天地出版社
TIANDI PRESS

图书在版编目(CIP)数据

美少女与七色花 / 饶雪莉著. — 成都：天地出版
社，2019.9
（成长不迷茫校园励志小说）
ISBN 978-7-5455-5007-8

Ⅰ.①美… Ⅱ.①饶… Ⅲ.①儿童小说—中篇小说—
中国—当代 Ⅳ.①I287.45

中国版本图书馆CIP数据核字（2019）第121720号

MEISHAONǚ Yǔ QISEHUA

美少女与七色花

出 品 人	杨　政	营销编辑	吴　咚
作　　者	饶雪莉	美术设计	李今妍
总 策 划	陈　德　戴迪玲	封面绘图	子鹇坊
策划编辑	徐　宏	内文排版	书情文化
责任编辑	曹　聪	责任印制	刘　元

出版发行	天地出版社
	（成都市槐树街2号　邮政编码：610014）
	（北京市方庄芳群园3区3号　邮政编码：100078）
网　　址	http://www.tiandiph.com
电子邮箱	tianditg@163.com
总 经 销	新华文轩出版传媒股份有限公司

印　　刷	北京画中画印刷有限公司
版　　次	2019年9月第1版
印　　次	2019年9月第1次印刷
开　　本	880mm×1230mm 1/32
印　　张	5.5
字　　数	80千字
定　　价	22.00元
书　　号	ISBN 978-7-5455-5007-8

在心中盛开一座甜蜜园

还记得我出版的第一本儿童文学作品叫《落入凡间的精灵》，那是在 2003 年，到今天，已经整整十六年了。十六年的时间，我出版了四十多本不同类型的书，但儿童文学，一直是我心底那根最柔软的弦，轻轻弹起，总是倍感纯真和温暖。

最初开始尝试写作儿童文学作品，是因为我那些可爱的学生们，我真的觉得他们是精灵，插着翅膀来到人间，不沾尘埃，简单纯净。他们教给了我许多成人世界里无法找寻的真实与感动，他们让我的生活变得丰富而有灵性。我将他们变成了故事中的杨梅希果、嘻嘻派、叶俏俏、古天力、贾锢、诺小米、秋芊……这些性格鲜明、各具特色的人物其实都能在我的学生中找到原型，也相信能让很多小读者感觉似曾相识，或者在心里默默地想：啊？这个人物不就是和我一样吗？

是的，这些人物既在书里，也在你们身边，甚至就像你们自己。你会跟着他们一起欢笑，一起忧伤，一起勇敢面对困难，一起突破自我，寻找新的目标……但最终，你会和他们一起成长！

直到今天，我还能在网络上收到很多读者的留言，有些读者已经上大学，甚至有了自己的家庭，他们告诉我："饶老师，我是看着你的书长大的，是你的书让我打开了阅读之门，我现在已经上大学了，不怕你笑话，我还会去找你的书来看，真的很怀念美好的童年时光。""饶老师，感谢你把人物塑造得这么出色，让我过了这么多年仍为他们挂心，不知道秋芊和杨梅希果还好吗？嘻嘻派还是那么幽默风趣吗？叶俏俏和古天力长大后有没有更出色……我会和孩子一起看你的书，祝愿你早日找到你心中的甜蜜园。"

……

每当看到这些留言，我就更加坚定——不能放弃钟爱的儿童文学。一个作者最幸福的事情是什么？在我看来，并不是他（她）写的书有多畅销，而是书在很多很多年后，还有读者记得他（她）写的书，记得那份最初的感动。纵然时间变了，空间变了，读者也变了，但对作者来说，这种幸福感是不会变的。感谢曾经的每一位读者和现在正在读这本书的你，但愿这些故事依然能在你的童年时光中留下闪亮的回忆，照亮你未来的路。

很多小读者问我："为什么你写的故事都发生在甜蜜园小学呢？真的有这所学校吗？"

我想告诉你们："甜蜜园小学是我的梦想，我在里面种植着快乐和希望。其实只要你有属于自己的梦想，你的心中就会盛开一座甜蜜园，四季芬芳。"

2019年，关于甜蜜园小学的新的六个故事由天地出版社出版，和小读者见面了。我们延续"成长不迷茫"的主题，让小读者和故事中的孩子们一起经历成长过程中遇到的烦恼、挫折和挑战，感受来自师长的帮助、同学的友谊和父母的关爱。故事中的孩子们用善良、勇气和智慧把阻碍成长的问题一一化解，从而变得更加阳光自信，为迎接美好的青春做好了充分的准备，而看故事的你们，相信也会从中收获坚强、乐观、勇气……让童年不再孤单，让成长不再迷茫，在心中盛开一座甜蜜园。

饶雪莉

2019年春于北京

公主的城堡

掀开薄雾的面纱,
穿上美丽的衣裳,
进入奇幻的城堡,
涂满自己缤纷的童话。

传说中的花儿,
轻轻飞到我身旁,
把城堡点缀得明亮。
七彩的花瓣,
落在我手掌,
闪烁着奇异的光芒……

为了寻找它,
我的七色花,
哪怕千山万水,
哪怕路途遥遥,
我愿——
付出一切,一切的代价。

目　录

附录：

公主的城堡

　　今天公主很不开心，因为评选"甜蜜使者"的时候，王子居然提了小人鱼的名字，为什么那么多人都喜欢小人鱼呢？公主虽然表面若无其事，但是那是虚伪的假象，公主很伤心，很伤心。

　　　　　　　　　　希希公主的博客——"公主的城堡"

　　杨梅希果有一个博客，名字叫"公主的城堡"。这个博客是杨梅希果的另一个"家"，每当她有心事的时候，她都要到这个"家"里面来倾诉。虽然现在已经不流行写博客了，但是杨梅希果还是固执地喜欢着她的"城堡"。因为在这里，她可以卸下一切伪装，说心里最真实的话。所以，她不愿意告诉任何人这个博客的地址，也不愿意任何人来访问她的博客。

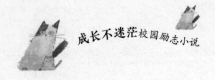

在这个幻想的城堡里，杨梅希果是最美丽的希希公主，同桌嘻嘻派是王子，好朋友诺小米是灰姑娘，秋芊是小人鱼，爸爸是国王，妈妈是王后，思雨老师是天使……杨梅希果每天都陶醉在自己构造的童话世界中，这感觉特别与众不同。

今天，思雨老师在班上宣布："甜蜜园小学要选出第三届'甜蜜使者'，每班推选一名。现在，请大家提名吧。"

大家都知道，"甜蜜使者"是很了不起的荣誉称号，学校每隔三年才评选一次。当选同学的照片和事迹会被贴在学校的宣传栏里，三年以后才会被更换，在宣传栏前来来往往的同学、老师和家长都会驻足观看，发出由衷的赞叹。更了不起的是，"甜蜜使者"要代表甜蜜园小学的学生随学校领导一起到其他学校参观访问，和其他小朋友交流心得。

思雨老师宣布以后，同学们纷纷议论开了：

"我看杨梅希果最有机会。她钢琴弹得好，人也漂亮大方。"

"我说不一定。秋芊大方可爱，经常帮助别人，人缘好，'甜蜜使者'非她莫属！"

"我支持嘻哈小王子嘻嘻派，他能把好心情带给每

个人！"

……

　　杨梅希果坐在座位上静静地看着语文书，脸上没有任何表情，似乎没有听到思雨老师宣布这件重要的事情。她虽然没参加同学们的讨论，但她的心里却像有一台小电脑正在仔细地分析着她和对手各自的优势。

　　"杨梅，你准备提谁的名字？"同桌嘻嘻派问。嘻嘻派是柠檬班最幽默的男生，在杨梅希果心中，嘻嘻派也是柠檬班最帅的男生。所以，在她的"城堡"里，嘻嘻派是当之无愧的王子。

　　"我觉得你很适合做'甜蜜使者'啊，我会提你的名！"杨梅希果对嘻嘻派说。

　　"你饶了我吧，我可不想做什么'甜蜜使者'。'甜蜜使者'要参加那么多活动，会影响我的自由，我拜托你千万别提我的名！"嘻嘻派居然不领情。

　　"好，下面开始提名！"思雨老师宣布。

　　"卓宇洋！"

　　"丁当！"

　　"嘻嘻派！"

　　"方纹！"

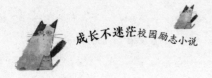

"杨梅希果！"

诺小米提了杨梅希果的名字，杨梅希果回头冲诺小米笑了笑。诺小米是杨梅希果的好朋友。她在班里虽然不起眼，但绝对是杨梅希果最忠实的粉丝，无论何时，都会支持杨梅希果。

这时，嘻嘻派举手了。杨梅希果本来以为嘻嘻派会提她的名，可是没想到嘻嘻派说："我觉得秋芊很不错，她很爱帮助别人，而且她作文写得好，'甜蜜使者'一定要有很好的文采吧！"

嘻嘻派是班上出了名的好人缘，因为他幽默搞笑，性格开朗，所以好多同学都喜欢和他交朋友。看见他支持秋芊，一大片附和的声音就起来了。

"对，我也觉得秋芊适合做'甜蜜使者'。"

"我也支持秋芊。"

"秋芊最好，我们支持她！"

……

杨梅希果朝秋芊望去，秋芊端正地坐在座位上，微微地笑着。她的眼睛不大，却清亮有神，头发不长，总梳着两条简单的小辫搭在肩膀上，并且扎小辫的橡皮筋每天都是不同颜色。

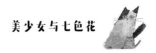

　　杨梅希果想不明白，秋芊不算特别漂亮，也不算特别优秀，为什么那么多同学喜欢她呢？在杨梅希果"公主的城堡"里，秋芊只是一个不起眼的小人鱼而已。

　　最后，思雨老师说，给所有被提名的同学一个月的考验时间，"六一"的时候全班投票选出唯一的一名"甜蜜使者"。

　　杨梅希果暗暗松了一口气——还好有时间，有时间就有希望。

梦中的七色花

　　"小米，你觉得我当选'甜蜜使者'的机会大吗？"杨梅希果急于在别人那里找到一些信心。

　　诺小米说："当然大啦，我觉得没有人比你强！"

　　尽管诺小米如此肯定，杨梅希果还是深深地叹了一口气说："可是大家好像更看好秋芊。"

　　诺小米赶紧安慰杨梅希果："不是还有一个月的考验时间吗？你只要在这一个月里得到大家的肯定，就一定能当上'甜蜜使者'。"

　　怎么表现才能得到大家的肯定呢？杨梅希果一时也想不出来。她闷闷不乐地回家，无力地趴在钢琴上。

　　"希果，练琴了吗？"这时，妈妈回来了。

　　杨梅希果的妈妈是个音乐教师。她的身材修长、十指

纤纤，长长的头发微微卷曲着，声音犹如春风般和缓。同学们都说杨梅希果的妈妈好漂亮。

妈妈总是告诉希果，女孩子要琴棋书画样样精通。于是杨梅希果从小就很努力地学习各种特长。上了小学以后，她发现自己确实比其他同学更优秀。羡慕她的同学有很多，比如诺小米，就是她的狂热追随者。虽然诺小米是班上很普通的女生，但杨梅希果还是愿意和她在一起，俗话说"红花还需绿叶配"嘛，杨梅希果巴不得身边的"绿叶"越来越多呢。

"妈妈，今天思雨老师在班里宣布了学校评选'甜蜜使者'的事情。我也被提名了，不过竞争对手有很多，我不知道自己行不行。"杨梅希果对妈妈说。

妈妈打开钢琴盖，弹了一曲优美的《春江花月夜》。妈妈曾经梦想做一名钢琴家，但是后来因为种种原因，她没有实现自己的梦想，所以她把全部的希望都寄托在了杨梅希果的身上。

随着最后一个悠长的尾音结束，妈妈合上琴盖望着杨梅希果说："希果，妈妈最不喜欢你没有自信的样子。你应该时时刻刻地提醒自己，只管努力去做，不要总是去顾及结果行还是不行。在什么都没做之前就担忧结果，这是怯

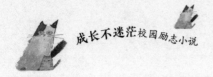

懦的表现。"

杨梅希果点点头，心想：是啊，我怎么这么不自信了呢？难道真是因为王子选了小人鱼吗？

晚上，杨梅希果打开自己的博客，居然看见了一条留言：你好，希希公主，我很喜欢你的城堡，会常来的。希望我们能交个朋友。署名为"小飞侠"。

杨梅希果觉得很奇怪，她的博客地址没有第二个人知道，这个"小飞侠"是从哪里来的呢？

公主应该充满信心，坚信自己是最棒的！公主要做许多别人做不到的事情，证明给王子看，证明给所有的人看。公主要战胜小人鱼！

希希公主的博客——"公主的城堡"

这天晚上，杨梅希果做了一个梦。在梦中，她插上翅膀飞呀飞，飞到了一个很远很远的地方，那里阳光温暖、白云悠悠、轻风如水，漫山遍野开满了鲜花。一个老婆婆笑眯眯地出现，送给了杨梅希果一朵美丽的七色花。七色花在阳光的照射下，反射出赤、橙、黄、绿、青、蓝、紫七种颜色的光芒……老婆婆说："你每撕下一片花瓣，唱一支歌谣，就能实现一个愿望。"

"我想成为全世界最漂亮的姑娘；我想让大家都喜欢

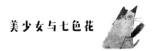

我；我想被评为学校的'甜蜜使者'；我想成为王子心中最
美的公主……小花瓣，飞呀飞，飞到东来飞到西，飞到南
来飞到北，让我实现这所有的愿望吧！"

杨梅希果捧着七色花转呀转，七色花和她一起在阳光
下欣然起舞。

神秘的"小飞侠"

"嘻嘻派,你相信这世上有七色花吗?"杨梅希果问嘻嘻派。她真希望嘻嘻派也相信这世上有七色花,她还希望嘻嘻派能和她一起去寻找那神奇的花朵,共同实现美好的愿望。可是嘻嘻派却给杨梅希果"泼了一盆冷水",嗤之以鼻道:"那是童话故事,骗小小孩的。杨梅希果,你都这么大了,别这么幼稚好不好!"

杨梅希果托着腮望着前方说:"我相信这世上一定有一种花叫七色花,我一定会找到它的。"

没得到嘻嘻派的支持,杨梅希果只好找到好朋友诺小米,说出自己的愿望。

"什么?你要我和你一起去寻找七色花?"诺小米瞪大眼睛,不敢相信自己的耳朵。

杨梅希果点点头说:"是啊!"

"可是那是童话里才有的呀,现实生活中怎么可能真有这种花呢?"

"一定有的,我在梦里已经见过了,赤、橙、黄、绿、青、蓝、紫,美丽极了!"

诺小米一直很崇拜杨梅希果,看见杨梅希果这么激动,她好像也有点相信了。如果真能寻找到七色花的话,估计让杨梅希果分给自己一两片花瓣,她应该不会吝惜吧。诺小米小心翼翼地说出了自己的想法。

听完诺小米的这个请求,杨梅希果很大方地说:"没问题,如果找到七色花,我可以给你两片花瓣,一片用来把你变成世界上的第二美女,另一片就随便你。"

"为什么要变成第二美女呢?"诺小米好奇怪。

杨梅希果笑笑说:"因为我已经变成第一美女了,你当然只能做第二美女啦!"

"哦。"诺小米勉强支应了一声。其实她才没那么傻呢,她已经在心里暗暗地想好了,如果她真有两片七色花的花瓣,第一片,她要让自己变得比杨梅希果漂亮,嘻嘻!第二片花瓣就用来把家里变得很富有,这样,妈妈就不用那么辛苦啦!

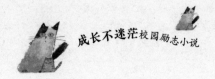

公主，你想拥有七色花吗？赤、橙、黄、绿、青、蓝、紫，七色的花瓣，可以实现七个愿望。我知道它在哪里，我可以带你去寻找。

小飞侠

杨梅希果打开"公主的城堡"，发现有"小飞侠"的留言，看来他还真的经常来逛"公主的城堡"。

他知道哪里有七色花？杨梅希果半信半疑，于是，她回复了"小飞侠"：小飞侠，如果你真的知道哪里有七色花的话，请你告诉我，我一定会好好谢谢你的！

王子变仙女

　　为了竞争"甜蜜使者"，被提名的候选人都使出了浑身解数，努力表现自己。

　　丁当捐出很多图书给班上的图书角；卓宇洋上课更加认真，成绩一直保持前几名，还主动辅导成绩差的同学；方纹趁休息的时间给班上修桌椅，不该自己搞值日的时候，也留下来帮忙；只有秋芊，还是一如既往，没什么特别表现。杨梅希果静静地观察着秋芊的一举一动，不知为什么，虽然秋芊没有什么特别的行动，但是她还是觉得秋芊是自己最强的竞争对手。

　　"六一"前夕，学校要求每个班在校联欢会上出一个节目。

　　杨梅希果作为柠檬班的文娱委员，主动向思雨老师提

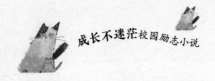

出建议："很多班都准备唱歌、跳舞，这次我们班搞点特别的吧，用《幸福是什么》那篇课文，排个课本剧。"

思雨老师眼睛一亮说："好啊！希果，你的点子很有新意，那老师就交给你去具体负责。"

杨梅希果说干就干，马上开始挑选演员。报名的同学很多。杨梅希果首先问同桌嘻嘻派："你有兴趣演这个课本剧吗？"嘻嘻派眨着眼睛说："演倒是想演，但是不想演牧童。"

"你不演牧童演什么？这个剧的主人公就是三个牧童和一个仙女，你不演牧童难道演仙女？"杨梅希果觉得很好笑。

"对，我就是这个意思，要么不演，要演我就演仙女。嗯……我是智慧的女儿。"嘻嘻派用手托着下巴，扭扭捏捏地做了个女生的姿势，把前后左右的同学逗得哈哈大笑。

杨梅希果也笑得快喘不过气来了。瞧，只要有嘻嘻派在的地方，就绝对有欢笑。所以同学们都愿意和嘻嘻派这个"开心派"一起玩。

"不行，你是男的怎么可以演女的呢？"诺小米使劲儿地摇头。

"怎么不行？这叫'反串'，你懂吗？"嘻嘻派摸摸脸

蛋说，"再说我觉得自己比仙女还漂亮一百倍呢。"

"哈哈哈……"大家又笑得前仰后合。

杨梅希果说："那好吧，嘻嘻派，我给你这个机会，你就反串仙女！"

演员选好后，杨梅希果就带着大家排练起来。可是嘻嘻派一出场，不是做娘娘腔，就是扭着屁股走路，把大家逗得嘻嘻哈哈地笑成一团，根本没法排练下去。

"嘻嘻派，你是不是特想变成女人啊？"贾锏是平时最不爱笑的，此时也禁不住咧开了嘴。

诺小米将自己的发夹取下来给嘻嘻派别上，曾普普更坏，拿水彩笔给嘻嘻派的脸蛋抹了"腮红"。

嘻嘻派更加放肆了，嗲声嗲气地跑来跑去，逗逗这个同学，挠挠那个同学，把排练搞得一团糟。

"思雨老师来了！"不知是谁喊道。同学们不得不停止嬉闹，嘻嘻派一个劲儿地擦脸颊，几乎要把脸皮擦破了。

思雨老师确实有些不高兴了，沉着脸说："你们不是在排练课本剧吗？怎么乱糟糟的呢？"

杨梅希果很愧疚，因为这件事情是她负责的，思雨老师说这话分明是对她表示失望。

大家都不敢吭声，只有胆大的麻芝芝率先说话："思雨

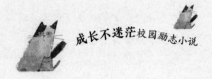

老师，都是因为嘻嘻派闹着要演仙女。他说是反串，一出场，就把我们逗得笑啊笑，根本停不下来。"

思雨老师看看嘻嘻派的狼狈样，严肃的脸也禁不住舒展开了。可是思雨老师不同意嘻嘻派反串仙女，她说这是一个积极向上的正剧，并不是喜剧。

嘻嘻派特别失望，拍着脑门儿说："哦，老天爷，我这个仙女完蛋了！"

捉弄小人鱼

那这个仙女谁来演呢?

"我觉得就让杨梅希果演吧,杨梅希果又漂亮又可爱啊。"诺小米强力支持杨梅希果。

嘻嘻派却直摇头:"不不不,杨梅希果不合适,杨梅希果长得太洋气了,不像仙女。"

麻芝芝一向不喜欢杨梅希果,她觉得杨梅希果太做作,成天以为自己是公主。所以麻芝芝连忙推荐她的好朋友秋芊:"我觉得秋芊很适合演智慧的女儿,因为她性格大方、善良,气质清纯,很像仙女。"

嘻嘻派连忙应和道:"对对对,我也觉得秋芊挺适合的。秋芊是瓜子脸,有古典美,杨梅希果是圆脸,有时尚美,我觉得还是秋芊更适合演仙女。"

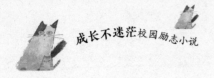

杨梅希果的心里酸溜溜的，不是因为她多么想演仙女，而是大家都说秋芊好，特别是嘻嘻派，明明是自己的同桌，却老是帮着秋芊说话。难道秋芊真的有那么好吗？她没有把这种暗暗的妒忌表现在脸上，故作大方地说："好啊，就让秋芊演仙女吧，明天我就去告诉她。"

"杨梅希果，你难道就没有一点点失望吗？一点点？"麻芝芝眯缝着眼睛，仔细观察杨梅希果的表情——她总觉得杨梅希果明明就不开心还假装大度，真的很虚伪。

"没有啊，我本来就不想演仙女，多累啊。"杨梅希果撇撇嘴说。

秋芊一听说让她演仙女，就担心地对杨梅希果说："我怕我演不好。"她虽然也很想演仙女，可是自己毕竟一点表演经验都没有，很害怕辜负大家的期望。

杨梅希果暗自高兴——她就希望秋芊演不好，让班里的节目得不到好评。这样，嘻嘻派就会为他的选择后悔，大家也会埋怨秋芊，思雨老师也会对秋芊失望。这不是一个千载难逢的好机会吗？于是，她故意拍拍秋芊的肩膀说："放心吧，我会帮助你的！"

秋芊万分感激地说："谢谢你，希果，我一定会好好加油的！"

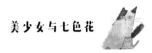

第二天，杨梅希果把《幸福是什么》的剧本给了秋芊，并嘱咐她，因为排练的时候大家都不能看剧本，所以一定要背熟上面的台词。秋芊连连点头，保证一定会背熟。

第一次排练的时候，思雨老师也来到了现场。秋芊饰演智慧的女儿。嘻嘻派、曾普普、卓宇洋饰演三个牧童。可是，秋芊每次都出错，和其他三个同学的对白完全对不上。

思雨老师有些生气，问："秋芊，不是让你背熟台词了吗？"秋芊望了望杨梅希果，委屈地咬着嘴唇。

杨梅希果装作毫不知情，其实她非常清楚：她给秋芊的剧本和大家的剧本不一样，即使秋芊完全背熟了台词也不可能和大家对上戏。如果秋芊敢说出剧本有问题的话，她就准备绝不承认。可她没想到秋芊居然什么都没说，只是默默忍受着思雨老师的埋怨。

捉弄了小人鱼，公主很开心。也许公主不该这样做，可是谁叫王子只帮小人鱼呢？希望小人鱼演不好仙女，希望王子不再帮小人鱼。

希希公主的博客——"公主的城堡"

难过的公主

早晨上学，杨梅希果在校门口遇见了秋芊，她装作没有看见，想从秋芊身边走过，可是却被秋芊叫住了。

"希果，等等我。"

杨梅希果想：她一定是因为剧本的事情来找我算账的。可是，秋芊却微笑地挽着杨梅希果的胳膊说："我知道你不是故意把错剧本给我的，你一定是糊涂了，是不是？"

这个秋芊，不知是真傻还是装傻。杨梅希果只好顺着说："是啊，真不好意思，我那天真是拿错了，害得你被思雨老师责怪。"

"没关系，嘻嘻派已经把对的剧本给我了，他还说从今天起，每天放学后都陪我去和风长廊练习台词呢。我一定要好好排练，不辜负大家对我的希望。"

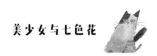

听完秋芊的话，杨梅希果的心里酸溜溜的。她一整天都没和嘻嘻派说话。嘻嘻派逗她，她也不笑。

嘻嘻派只好说："杨梅，你今天是不是吃错药啦？"

"是啊，我吃了火药！"杨梅希果狠狠地瞪着嘻嘻派。嘻嘻派吓得直往后躲。

杨梅希果控制不住自己的好奇心，放学后，她拉着诺小米去和风长廊，想看看嘻嘻派怎么帮秋芊练习台词。

杨梅希果和诺小米悄悄躲在和风长廊的大柱子后面，果真看见嘻嘻派和秋芊走进了和风长廊。他们俩在长椅上坐下来。秋芊从书包里拿出剧本，一句一句认真地读着。嘻嘻派在旁边指导。

"希果，要是被他们发现我们在这里偷看，怎么办？"胆小的诺小米说。

"不会的，我们小心一点，不会被发现的。"杨梅希果屏住呼吸。

"你们应当自己去弄个明白。十年以后，让咱们再在这个地方，在这口小井旁边相见吧。假如那时你们还不知道幸福是什么，我就告诉你们。"秋芊生动地念着仙女的台词。

"咔——"嘻嘻派像导演一样指挥着秋芊说，"你这里

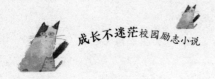

的语气要表现出对三个牧童的鼓励，还要配合肢体动作，你跟着我念一遍。"

嘻嘻派念着台词做着示范，他的体态像个女生一般婀娜多姿，说话声音嗲嗲的，逗得秋芊哈哈笑，在一旁偷看的诺小米也忍不住捂着嘴巴偷笑。

看着嘻嘻派和秋芊这么开心，杨梅希果怎么也笑不出来，她从地上捡起一块小石子朝嘻嘻派和秋芊的书包上砸去。

"希果，你干什么？！"诺小米拦也拦不住。

"谁？"嘻嘻派大喝一声向大柱子这边看来。杨梅希果拉住诺小米就跑。

"站住！"嘻嘻派在后面追。

情急之下，杨梅希果和诺小米只好跑进了女厕所。嘻嘻派不敢进去，只好在外面喊："我看见你们了，知道你们是谁。有本事就出来，躲进厕所只是胆小鬼！"

"糟糕，他认出我们了，怎么办？"诺小米问。

杨梅希果说："别中计，他说不定是使诈，嘻嘻派可狡猾了。"

两人在女厕所里躲了好久，确定外面没有声音了，才小心翼翼地出去。

诺小米摸摸胸口说："希果，真是吓死我了。不过，也挺刺激的！"

杨梅希果可不觉得刺激，只觉得难过，她对诺小米说："小米，你觉得我和秋芊，谁更优秀？"

"当然是你啦！"诺小米回答。

"那我和她，谁更适合做'甜蜜使者'？"

"当然还是你啦！"诺小米很肯定。

杨梅希果说："小米，你真是我最好的朋友，你愿意帮我战胜秋芊吗？"

"我愿意。"诺小米不想看见希果不开心，好朋友需要帮忙，她当然义不容辞。

王子的眼中没有公主，只有小人鱼。公主不甘心就这样失败，如果能寻找到传说中的七色花，公主所有的愿望都可以轻而易举地实现，可是七色花究竟在哪里呢？

希希公主的博客——"公主的城堡"

杨梅希果刚刚在博客上发了一篇新的博文，"小飞侠"的留言就出现在了博文的下方：公主，七色花在云崖山公园里。

七色花在云崖山公园，这是真的吗？无论如何，杨梅希果决定试一试。

大眼睛的小丸子

　　星期六，杨梅希果和诺小米相约去云崖山公园，开始了她们第一次寻找七色花的旅程。诺小米问杨梅希果："你怎么知道云崖山上有七色花的呢？"杨梅希果可没有说出神秘人"小飞侠"，只是说她梦中见到的七色花所在的地方阳光温暖、白云悠悠、清风如水，漫山遍野绽放着鲜花，很像云崖山。

　　说着，她们已经爬上了云崖山的山顶。她们看着满山的野草随着微风轻轻地摇曳，不知名的花儿点缀在其中，像一颗颗闪亮的星星，蝴蝶在花草丛中忽高忽低、忽聚忽散地嬉戏着……

　　"是的，就是这里！这就是我梦到的地方。"杨梅希果大声地尖叫，挥动着双臂跑了起来。诺小米也跟着她跑，

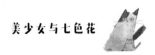

跟着她开心。

两人跑累了，躺在草坪上休息。"希果，我们闭上眼睛吧，说不定，过一会儿，那个神仙婆婆就会出现。"诺小米将双手垫在后脑勺上，舒服地闭上了眼睛。

杨梅希果也闭上了眼睛。清凉的风吹过来，远处传来了阵阵蝉声，身边有麻雀轻盈的脚步声。杨梅希果和诺小米都静静地等待着，等待着七色花的出现。

"咦？诺小米，你听见没有，好像有笛声呢！"杨梅希果自幼学钢琴，对音乐声十分敏感。此时，她分明听到不远处传来一阵阵悠扬的笛声，像小鸟在挂满朝露的林中歌唱。

"好像是呀！"诺小米睁开眼睛。

于是两人起身循着笛声的方向找去。她们终于看见一个小女孩，坐在一棵大树下吹笛子。小女孩约莫十岁，眼睛大大的，细细的头发垂在肩上，小麦色的皮肤看起来十分健康。

"哇——好美的笛声！"杨梅希果赞叹着跑上去，坐在小女孩的旁边。诺小米也紧跟上去。

笛声停止了。小女孩问："是谁呀？"

杨梅希果大方地说："我叫杨梅希果，她叫诺小米，我

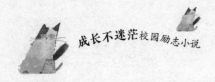

们都是甜蜜园小学柠檬班的学生。你的笛子吹得真好，你叫什么名字呢？"

小女孩看着前方说："我叫明媚。"

诺小米觉得不对劲儿——怎么这个明媚和人说话不看人呢？她仔细看看，发现明媚的眼睛虽然大却空洞无神。她用手在明媚的眼前晃了晃，发现明媚的眼球纹丝不动。

"希果，她是盲人。"诺小米悄悄地在杨梅希果耳边说。

"是的，我的眼睛看不见。"明媚已经觉察到了，微笑着说，"其实我小时候是能看见的，但是两岁的时候我得了一场重病，眼睛就失明了。不过我知道太阳是金色的，云朵是白色的，树木是绿色的……我曾经看到过这缤纷的世界，我比很多盲人都幸运呢。"

听明媚这么说，杨梅希果很感动。这么漂亮的眼睛居然失明了，这世界太不公平了！如果我有一朵七色花，我一定要用一片花瓣让明媚恢复视力，重新看到这个美丽的世界。想到这，她激动地说："明媚，你放心吧，有个仙人婆婆托梦给我，我会得到一朵七色花。我们是来寻找七色花的。如果我得到这种神奇的花朵，一定会让你重见光明的！"

"谢谢你们哦，可是真有这种花朵吗？"明媚的脸上露

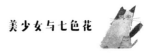

出了灿烂的笑容。

"有的，肯定有！"杨梅希果坚定地说。

"明媚，回家了。"一个中年妇女走过来。

明媚说："是我妈妈。我家就在云崖山脚下，只要天气好，我就会到这片山坡上来吹笛子，虽然我看不见阳光，但是我能感受阳光。"

明媚的妈妈牵着明媚走下了山坡，诺小米和杨梅希果站在原地，心情很复杂。对她们来说，这个缤纷的世界每天都能看见，已经没什么新鲜了，但对明媚来说，绿树红花都只能想象，这是多么悲哀啊！

今天，阳光很温暖，风儿很轻柔，麻雀喳喳叫，公主和灰姑娘到山上寻找七色花，但是没有等到仙人婆婆出现，却认识了大眼睛的小丸子。小丸子很可爱，还会吹出悠扬的笛声。只可惜小丸子的眼睛看不见了，公主发誓：如果寻找到七色花，一定要让小丸子的大眼睛见到光明。

虽然今天没有找到七色花，但以后每个周末公主和灰姑娘都会去山上寻找，相信总会找到神奇的七色花。

希希公主的博客——"公主的城堡"

快乐瞬间

　　好不容易又盼到了周末，杨梅希果和诺小米又相约去了云崖山公园——既是为了寻找七色花，也是为了看望明媚。明媚仍旧坐在那棵大树下吹笛子，一听见是杨梅希果和诺小米来了，她十分开心。平时，很少有朋友陪她玩，她很寂寞。

　　杨梅希果和诺小米陪在明媚身边，给她讲柠檬班的趣事。明媚也教杨梅希果和诺小米吹笛子。突然，一架纸飞机飞到三人面前。

　　"你们好呀，三位女侠！"嘻嘻派从大树后探出脑袋，把大家吓了一跳。

　　"你怎么会在这里？"杨梅希果大惊——嘻嘻派简直就是从天而降。

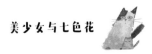

嘻嘻派笑着说："我有千里眼，看见你们在这么好玩的地方玩，我当然就坐上我的直升机过来了。"

"嘻嘻……"听见嘻嘻派开这么夸张的玩笑，明媚捂着嘴巴笑了起来。

"明媚，这就是我们给你讲过的我们班的嘻哈小王子，他就爱吹牛。他的话你可千万别信哦。"杨梅希果说。

"杨梅，我可是乖孩子，你可别在新朋友面前抹黑我。"嘻嘻派油嘴滑舌，边说边跳到明媚的身前。

明媚伸出手抚摸着嘻嘻派的头，说："你的发型很酷哦。"

"哈哈，明媚，还是你的欣赏水平高。他们都说我这是火鸡头。"嘻嘻派摸着自己翘翘的刘海得意地说。

杨梅希果给嘻嘻派使眼色，暗示他明媚的眼睛看不见。嘻嘻派点点头，表示他早已经看出来了。他说："明媚，你长得这么漂亮，应该去 3D 美术馆多拍一些 3D 照片。"

"嘻嘻派——"杨梅希果的心都提到了嗓子眼儿了——这个嘻嘻派，明明知道明媚的状况，还提议什么 3D 照片，真是太没大脑了！

"什么叫'3D 照片'啊？"明媚好奇地问。

"就是可以挑选不同的场景拍照，把自己拍得美美的。

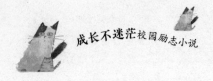

就好像你真的去了世界各地旅游一趟哦。你还可以选择太空、海底等等背景，就好像自己去太空翱翔、去海底畅游！"嘻嘻派夸张地解释道。

明媚充满向往地说："是吗？那你们可以带我去拍这样的照片吗？我从来没有拍过呀！"

"可是明媚，就算拍出来了你也看不见啊。"诺小米直言不讳地说出了自己的担心。

明媚笑笑说："没关系。虽然我看不见，但是你们看得见，我爸爸妈妈看得见啊。万一以后我的眼睛治好了，我也可以看得见我现在的模样，多好啊。"

看见明媚这么期待拍 3D 照片，杨梅希果和诺小米也不好再拒绝。于是，大家牵着明媚来到了距离公园最近的一家 3D 美术馆。

一个漂亮的姐姐问："小朋友们，你们是要拍梦幻主题、童话主题、穿越时空主题，还是浪漫主题？我们这里什么主题都有，肯定能满足你们的需求。"

"明媚，你想拍什么主题？"杨梅希果问。

"我想拍童话主题，我想当白雪公主。"明媚天真地说。

于是，杨梅希果和诺小米陪着明媚拍了好多童话主题的 3D 照片。明媚虽然看不见，但是她站在杨梅希果和诺小米的中间，笑得特别甜。杨梅希果相信，明媚总有一天会看到这些美好的照片。这一刻，杨梅希果突然觉得嘻嘻派的提议真是太好了。

嘻嘻派在外面喊："我找到了很炫的背景，你们拍完了跟我来吧。"

大家跟着嘻嘻派来到另一个区域，只见一个个绚丽奇特的背景画面出现在眼前。嘻嘻派说："这里是奇幻太空主题区。"

"这是男孩子拍的，我不拍。"明媚摆摆手。

嘻嘻派把杨梅希果和诺小米往身边一拉，说："我们拍吧。"

诺小米望着嘻嘻派："我们三人一起拍吗？"

嘻嘻派嬉皮笑脸地说："那当然，我的造型十分优美，不信，你们看——"嘻嘻派对着镜头摆着搞笑的姿势，逗得杨梅希果和诺小米哈哈大笑。于是，三个人一起拍了好多太空背景的照片。每一张照片，嘻嘻派都在搞怪：他一会儿瞪圆眼睛、噘起嘴巴，装金鱼吐泡泡；一会儿又扯着自己的耳朵鼓着腮帮子，学猪八戒；一会儿又把手放在杨梅希果的头上做耳朵，一会儿又把诺小米的脸当面团揉……杨梅希果和诺小米笑得都直不起腰了。

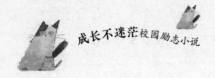

　　杨梅希果觉得今天真是个快乐的日子，碰见嘻嘻派快乐，带明媚拍 3D 照片快乐，和嘻嘻派拍搞怪 3D 照片更快乐！

　　回到家，杨梅希果躲进自己的房间，拿出刚刚洗出来的照片，一张一张地欣赏着。她一边看一边笑，特别是看到嘻嘻派帅气而搞怪的模样，更是笑得合不拢嘴。

　　突然，她萌发了一种想法——如果这些照片里没有诺小米，只有她和嘻嘻派该多好啊！她横看竖看，总觉得诺小米是多余的。于是，她找来小剪刀，把照片里的诺小米剪掉了。这样，照片里就只剩下了嘻嘻派和她自己，就好像这是他们俩的合照一样。杨梅希果欣赏着自己创造的"合影"，有点脸红又特别开心。她将这些修剪过的照片一张张地粘贴在了自己最喜欢的笔记本里，还在照片的下面写上了一行字：公主和嘻哈小王子。没事的时候，她就偷偷地翻开笔记本，看看这些照片，觉得特别好玩。

公主和大熊猫

　　杨梅希果和嘻嘻派的"合影"是杨梅希果的秘密，没有人知道，就连嘻嘻派也不知道。这天，杨梅希果因为放学的时候走得匆忙，把这个重要的笔记本落在了课桌抽屉里。

　　第二天早晨，杨梅希果一到学校，就觉得好多同学看她的眼光怪怪的，对她议论纷纷，有些同学还在偷偷地笑。

　　杨梅希果跑去问诺小米："小米，我今天有什么不对劲儿吗？"没想到诺小米就像没听到她说话一样，表情冷冷的，不理她。

　　"你怎么了，诺小米？为什么不理我呢？"杨梅希果推推诺小米。

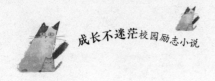

　　诺小米没好气地说："杨梅希果，亏我一直把你当好朋友，什么都听你的！可是你呢，却当我是多余的，随时都可以把我踢掉……"说到这里，诺小米居然伤心地哭了。

　　杨梅希果猛然醒悟了，赶紧回到座位，在书包里翻那个笔记本——真的不见了踪影！这下糟糕了，她想，大家一定是看到了我"制作"的那些"合影"。怎么办啊？我的笔记本呢？

　　杨梅希果一下子慌乱得没有了主张——一边是诺小米的哭泣，一边是笔记本的神秘消失。她真恨自己一时大意，现在该怎么收场呢？

　　究竟有多少人看到那些照片了呢？杨梅希果决定先问问"大嘴巴"李苒苒。

　　李苒苒说："不知道。反正我没看到。我是听别人说你和嘻嘻派去拍亲密合影了。"

　　别管这些了，杨梅希果想，还是先给诺小米赔个不是吧。于是，她又来到诺小米身边，不停地对诺小米说好话："小米，我只是觉得好玩，我真的不是故意的。对不起了，你原谅我好吗？要不，我请你去拍很多很多照片，你不要生气了，好不好嘛？"

　　诺小米越听越委屈，越哭越厉害，弄得杨梅希果不知

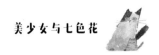

所措。

不知是谁告的密，不一会儿，思雨老师就来到了教室。思雨老师好像并不太清楚状况，只是问杨梅希果："什么笔记本？什么亲密照啊？"

杨梅希果抿着嘴唇，不知怎么回答。

"老师，就是这个笔记本！"嘻嘻派不知从哪里冒了出来，满头大汗地将那个笔记本递到思雨老师的面前。

杨梅希果的心都快爆炸了——这个嘻嘻派是怎么回事？成心让我下不了台吗？我的天啊，思雨老师看到那些照片，该怎么想、怎么说呢？我一定完蛋了！

没想到，思雨老师翻开笔记本一下子就笑了，还说："杨梅希果，你真逗！好了，大家快上课吧。"

杨梅希果一时间蒙了，只看见嘻嘻派调皮地对她眨了眨眼睛。她接过思雨老师还给她的笔记本，打开一看，眼珠子差点掉出来——照片里的嘻嘻派变成了一个个憨态可掬的大熊猫，下面那一排"公主和嘻哈小王子"的字也被涂改成了"公主和国宝大熊猫"。这简直是太不可思议了！

原来，昨天下午，轮到嘻嘻派当值日生，他和其他几个值日的同学无意间看见了杨梅希果笔记本里面的照片，

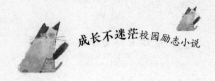

他就把笔记本带回了家。他从家里找出大熊猫的贴纸，把照片里自己的头像全换成了大熊猫的头像。

"怎么样，我的修图技术还可以吧，连思雨老师都没看出来呢。"嘻嘻派得意地对杨梅希果说。

杨梅希果长长地舒了口气："真是太谢谢你了，要不我就糗大了！只可惜……诺小米还在为这事生我气呢。其实我真的没别的意思，只是觉得好玩而已。"

嘻嘻派最爱帮别人解决难题了，他拍拍胸脯说："放心吧，我帮你搞定诺小米。"

嘻嘻派跑到 3D 美术馆，找服务台截取了杨梅希果和诺小米脸挨脸的亲密相片，做成了两面精致的小镜子。他把小镜子交给杨梅希果说："你一个，诺小米一个。你拿去送给她，她肯定不会再生你的气了。"

嘻嘻派这一招儿果然有效。诺小米捧着那面小镜子，爱不释手。杨梅希果说："小米，全世界只有两面这种款式的镜子，这证明我们是一辈子的好朋友，你不要再生气了好不好？"

诺小米甜甜地笑了。

感谢小王子，让公主和灰姑娘和好如初了。

小王子是世界上最聪明的人。虽然公主和小王子的

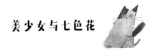

"合影"变成了公主和大熊猫的"合影",但是公主还是很开心很开心。

希望小王子永远快乐!

希希公主的博客——"公主的城堡"

闪亮的柠檬班

今天上课，思雨老师很高兴地问："你们登录我们学校的校园网站了吗？"

大家疑惑地看着思雨老师的笑脸，不知道她为什么笑得这么开心。

思雨老师继续说："我们班有一位同学制作了一段视频上传在校园网上。目前这段视频的点击率已经成为校园网的第一名，好多老师和家长都赞不绝口呢。"

"哦，我看过了，视频的名字是《闪亮的柠檬班》。"李莓莓站起来说，"里面有我们班同学在生活和学习中的好多精彩照片，还有我在班级联欢会上跳拉丁舞的片段呢。"

"是的。我很想知道制作这段视频的是哪位同学呢！"

思雨老师扫视着班里的同学们。

大家你望望我，我看看你，互相猜测着这位幕后英雄是谁。

这时，嘻嘻派站起来说："我知道，制作这段视频的人是秋芊。"

同学们都把目光投向秋芊。秋芊不好意思地红了脸。杨梅希果觉得秋芊真是太讨厌了——看似没有为竞选"甜蜜使者"做什么努力，实际上却一直在暗地里使劲儿呢。

"秋芊，真的是你做的吗？"思雨老师温柔地问道。

秋芊起身点点头说："是的。平时班里有活动的时候，我拍了好多照片，也录了一些视频片段。不过制作这段完整的视频还得感谢嘻嘻派的帮忙，是他指导我做的。"

"非常好！老师真为你们感到骄傲！"思雨老师带头鼓起掌。全班同学也不约而同地鼓起掌来。

杨梅希果一边鼓掌一边不满地质问嘻嘻派："你为什么不教我制作视频呢？"

嘻嘻派说："杨梅，每次班里有活动，你都是忙着摆姿势要上镜的人，我根本没见过你为别人拍过照片，你哪里有素材制作视频？难道制作你个人的写真集？"

"讨厌！"杨梅希果狠狠地揍了嘻嘻派一拳。

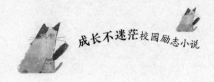

杨梅希果一回到家就登录甜蜜园小学的校园网站，想看看《闪亮的柠檬班》这段视频。

果真，《闪亮的柠檬班》排在校园网视频点击率的第一名。杨梅希果把视频点开，立即出现了柠檬班同学的集体照。集体照上，杨梅希果站在第一排的中间，甜美地微笑着。集体照的下方跳出一排文字：这是我们的柠檬班，有些甜蜜有些酸，非常精彩非常炫，这里记录着我们的欢笑和泪水，我们成长的每一天。

紧接着，一个个生动的画面跃入眼帘——有笑脸，有泪水，有成功的欢呼，也有失败的窘样……每一个同学都出现在了视频里，而且每一个同学出现时，旁边都配有特别介绍。介绍杨梅希果的文字是：漂亮可爱的杨梅希果，绰号"希希公主"，是柠檬班的班花。她会唱歌、会跳舞、会弹钢琴……堪称"优质女生"。介绍嘻嘻派的文字是：柠檬班最幽默的男生，绰号"嘻哈小王子"，只要有他在的地方就有欢笑。

看完这段视频，杨梅希果不得不承认，秋芊做得非常好。没想到她平时默默无闻，却悄悄为同学们留下了这么多珍贵的片段。

小人鱼开始出招儿了，还得到了王子的帮助。公主

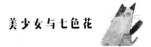

不可以失败，公主也要出招儿了，让小人鱼知道公主的
厉害！

　　　　　　希希公主的博客——"公主的城堡"

38 份礼物

这个周末，杨梅希果拉着诺小米朝购物城走去。诺小米很奇怪，问："我们不去云崖山公园找七色花，不去看明媚了吗？"

"不去，今天有更重要的事情需要做。"杨梅希果说。

到了购物城，杨梅希果推起一辆购物车。诺小米更奇怪了，问："果子，你要买很多东西吗？"

"那是当然，我要买 38 份礼物。"杨梅希果从兜里摸出一张长长的购物单，上面列满了班里同学的姓名和相对应的礼物：

嘻嘻派——魔术玩具

李莓莓——水晶贴纸

丁当——文具盒

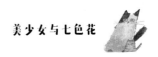

曾普普——漫画书

麻芝芝——智力拼图

……

就连杨梅希果的"死对头"麻芝芝也有礼物！班里一共 39 个人，除去杨梅希果自己，单子上一共写了 38 份礼物。杨梅希果还大方地对诺小米说："你的礼物也可以由你自己选，看中什么买什么，别跟我客气。"

"可是果子，你哪里来的这么多钱呢？"诺小米觉得杨梅希果的行为真不像个小孩子——太疯狂了！

"我把我存的所有压岁钱都拿出来了。我要为班里的每一个同学选一份他们喜欢的礼物。我就不信这还比不上秋芊做的那段视频。"杨梅希果得意地说。

诺小米陪着杨梅希果在偌大的购物城里逛了大半天，终于把所有的礼物都选齐了。诺小米自己挑选了一个可爱的芭比娃娃。

杨梅希果吩咐道："小米，我不敢把这些东西带回去，怕我妈妈问。你帮我把它们带回你家，星期一再帮我带到学校，我送给同学们。"

诺小米点点头。她刚刚得到了一个盼望已久的芭比娃娃，现在杨梅希果让她做什么，她都会答应的。

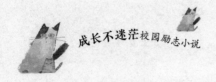

　　星期一的早晨，柠檬班每一个同学走进教室，都在自己的课桌抽屉里发现了一份礼物，礼物上都写上了一句祝福的话，并且还落着一个相同的名字——杨梅希果。大部分得到礼物的同学都很开心，有的跑过来连连感谢杨梅希果，有的干脆抱着杨梅希果夸张地大叫起来。杨梅希果再次成为大家关注的焦点，她的内心充满了喜悦。她马上对竞选"甜蜜使者"有了必胜的信心——看这情形，似乎谁也不可能将她打败了。

　　可就在这时，秋芊捧着一个盒子朝杨梅希果走来。杨梅希果认得这个盒子，因为那里面装着自己为秋芊特别挑选的礼物——一本带锁的日记本。杨梅希果知道秋芊平时有记日记的习惯，也见过她的日记本已经很旧很旧了。

　　"杨梅，谢谢你的心意，可是我爸爸经常告诉我'无功不受禄'，我不能平白无故地接受你这么贵重的礼物，对不起。"秋芊将笔记本轻轻地放在杨梅希果的课桌上。

　　"马上就是儿童节了，我就是为了庆祝大家的节日，才送大家礼物。别的同学都收了，你为什么不收？你瞧不起我，是吗？"杨梅希果生气地质问秋芊。

　　秋芊平静地说："杨梅，我没有瞧不起你。我们都要过儿童节，如果你送我礼物，到时，我也要送你礼物，你送

我这么贵重的礼物，我怎么回赠你呢？再说，其实礼物不在于它的价值，关键在于心意，只要大家的祝福是真诚的，哪怕送一张小小的卡片也是珍贵的啊。"

"秋芊说得对，我才不稀罕你的礼物呢。"麻芝芝冲过来，把智力拼图扔在杨梅希果的桌上，说，"别以为有钱就了不起！"

不知是不是听了秋芊的话，有些同学开始动摇了，纷纷将礼物还给杨梅希果。杨梅希果的心情一落千丈，她认为这一切都是秋芊造成的。这件事之前，杨梅希果对秋芊只有忌妒，现在，这忌妒已经升级成了恨意。她暗暗发誓要和秋芊彻底决裂！

同桌嘻嘻派不但没有安慰杨梅希果，还像看笑话一样嘻嘻笑。

"你是不是也要把礼物还给我？"杨梅希果瞪着嘻嘻派，摊开手说，"要还就赶紧还！"

嘻嘻派说："别着急，我把这套魔术玩具玩够了再还你也不迟啊。"

看到这样的状况，诺小米赶紧安慰杨梅希果："不要紧，只有少数同学将礼物还给了你，多数同学都收下了。拿人的手软，只要他们接受了你的礼物，到时就得投你

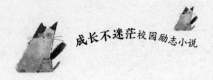

的票。"

杨梅希果想想也是，不过，她还是有些不放心，于是又悄悄叮嘱了诺小米一番。诺小米一边听一边点头——她既然说过要帮助杨梅希果竞选"甜蜜使者"，就一定要帮到底。

没有花环的仙女

　　这天，课本剧《幸福是什么》进行演出前的最后一次彩排。看到秋芊穿着仙女一样的纱裙，戴着美丽的花环在台上表演时，杨梅希果的眼神顿时黯淡了下来——她多么希望站在台上的是自己啊，她杨梅希果才是美丽的公主，不是吗？

　　秋芊头上的花环是用鲜花扎成的，上面有玫瑰花、百合花、满天星……散发着淡淡的清香。秋芊说："我妈妈说正式表演那天，会给我扎一顶更美丽的花环，让我成为最美的仙女。"

　　自从上次礼物风波以后，杨梅希果一直没搭理秋芊，有好几次，秋芊主动找她说话，她也故意转过头去，装作没听见。

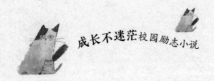

小人鱼就是小人鱼，不能成为最美的仙女。公主才是最美的，公主坚决不让小人鱼做最美的仙女。

希希公主的博客——"公主的城堡"

正式演出这一天，化妆后的秋芊更美了——她的面庞像花瓣一样红润，一头飘飘的长发，再配上那顶鲜花扎成的花环，真是清秀典雅，无比惊艳。就连诺小米也忍不住夸赞："秋芊真美！"

杨梅希果瞪了诺小米一眼，对她耳语了一番。诺小米听完吓得脸色苍白，连连摆头。

"如果你不去的话，我就不再把你当作我的好朋友。而且，我还要收回我送你的所有礼物，包括那个芭比娃娃。"杨梅希果说。

诺小米可不想失去她最爱的芭比娃娃。她横下一条心，决定按照杨梅希果所说的去做。

"幸福需要经过一个创造的过程，幸福是一种耕耘后的收获！它不需要表白，更不需要炫耀，它是用来静静感受的，就像欣赏宇宙星空一样，在沉默中感悟它的博大精深。接下来柠檬班的同学们要为我们带来一个课本剧——《幸福是什么》！"主持人在报幕了，小演员秋芊、嘻嘻派、曾普普和卓宇洋在台下做最后的准备。可就在这个时候，秋芊

却发现她的仙女花环不见了。

本来秋芊一直戴着花环的，可是上厕所之前，她怕把花环搞脏，就把花环放在了道具筐的最上面。谁知现在要上台了，道具筐里却没有花环。大家都帮着寻找，却怎么也找不着。

主持人已经报幕了，这可怎么办呢？秋芊急得都快哭出来了。

"别找了，赶紧上台吧。"关键时刻，思雨老师给秋芊鼓劲儿说，"花环只是道具，没有花环的仙女只要表演得好，一样是最美的。"

看着没戴花环的秋芊慌忙上台，台下的杨梅希果有一种幸灾乐祸的感觉。而诺小米却紧张得不行，因为花环是她趁大家不注意时悄悄藏起来的。她本不想这样做，可是，她经受不住杨梅希果的威胁，还是无可奈何地犯了这个错误。现在，她只好在心里默默地对秋芊说对不起。

再说秋芊，本来因为丢失了花环心里很难受，但是听了思雨老师的话后，她很快调整好了自己的心态。再加上上台的时候，嘻嘻派也对她说："不戴花环是好事，免得演出的时候花环掉下来分你的心，你现在可以放开去演了。"秋芊觉得思雨老师和嘻嘻派说得都非常有道理，于是很快

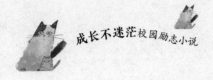

忘记了不愉快，认真地投入到表演中了。

最后，柠檬班的课本剧《幸福是什么》轰动了整个学校，并获得了节目评选的第一名。同学们都高兴极了。思雨老师在班上表扬了参加表演的所有同学，又特别表扬了杨梅希果，说她是幕后英雄。思雨老师还心疼地望着杨梅希果，说："这段时间，杨梅希果为了给大家排练，付出了许多。希望大家都能学习她这种默默为集体奉献的优秀品质。"

杨梅希果淹没在了雷鸣般的掌声里，却并不开心，只是勉强地挤出了一点笑容。

王子抓小偷

班会课后，杨梅希果邀请了好多同学去月亮船冰激凌屋庆祝演出成功，但唯独没有邀请秋芊。

大家吃着美味的冰激凌，开心地议论着演出的情况。

"我觉得我们班的节目最棒了，把全校老师和同学都看呆了。"

"是啊，秋芊演得很好。她虽然没有戴花环，可是一样很漂亮！"

……

曾普普问："可是你们说，秋芊的花环怎么会突然消失了呢？"

李苒苒说："一定是有人忌妒秋芊，故意把她的花环藏起来了。这个人真坏！"

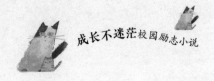

诺小米的心"扑通扑通"直跳，她赶紧转移话题说："如果是杨梅希果来演仙女的话，一定会更好。"

杨梅希果听着心里甜滋滋的，但是她嘴上却说："谁演都是一样，反正也是为班级争光。"

"嘻哈小王子，你不是说你是大神探吗？你分析一下谁会偷秋芋的花环。"曾普普又把话题绕了回来。

嘻嘻派一下子跳上板凳，环视着大家说："偷花环的人就在我们这几个人之中！"

"不是我，不是我……"同学们都连忙摆手否认。诺小米的脸已经吓得通红了，赶紧大口吃冰激凌。杨梅希果却很沉得住气——她不相信嘻嘻派知道实情。她了解嘻嘻派——他有时候非常狡猾，最爱使诈。

"我们来做个测验，就能知道谁是偷花环的贼了，你们敢参与吗？"嘻嘻派问。

"当然敢！"为了表示清白，大家都点头。诺小米和杨梅希果也只好跟着点头。

嘻嘻派严肃地说："请大家听好了，你们伸出舌头去舔自己的鼻子，添得到吗？"

大家纷纷伸出舌头去舔鼻子，使劲儿舔，却无论如何都舔不到。

　　嘻嘻派说："当然舔不到。现在，你们用双手捏着自己的耳朵，再伸出舌头，能舔到自己鼻子的人就不是小偷。"

　　"这是真的吗？"曾普普为了证明自己不是小偷，连忙放下冰激凌，双手捏着耳朵，伸着舌头去舔鼻子。

　　"不对哟，嘻嘻派，还是舔不到鼻子哦。"曾普普几乎要将舌头翘断了也没挨到自己的鼻头。

　　"是啊，舔不到呀！"大家捏着耳朵，伸着舌头，你看着我，我看着你，都舔不到鼻子。

　　杨梅希果没有参加这个测验。她觉得这个测验已经可以说明嘻嘻派根本不知道事情的真相。她彻底松了一口气。

　　果真，看着大家的狼狈样，嘻嘻派大笑起来："哈哈哈哈，这群小狗狗还挺听话的！"

　　大家这才知道上当了，又好气又好笑，对嘻嘻派又骂又打。

　　"饶了我吧，各位大哥大姐，我下次不敢了。"嘻嘻派连连求饶。

　　杨梅希果说："好了好了，现在听我说，我很感谢大家平时对我的关心和帮助，我敬大家一杯，拜托大家在竞选'甜蜜使者'的时候投我一票。"

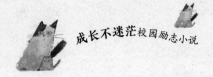

杨梅希果举起手中的冰激凌和大家一一碰杯。

"哈哈，干杯！"大家的冰激凌凑在一起，好像一个甜美的笑脸。

从天堂到地狱

　　期待已久的日子终于到了。这一天班会课，思雨老师叫同学们给"甜蜜使者"的候选人投票。投票之前，同学们需要先说说候选人最近的表现。

　　大家纷纷议论起来，接着开始举手发言：

　　"我觉得杨梅希果最合适——"诺小米说，"上次排练课本剧她出了很多力，没有一声怨言，这是关心集体的表现。"

　　"我也觉得杨梅希果合适——她成绩优异，又会弹钢琴，而且她还很大方，经常请我们吃好吃的。"贪吃的曾普普一发言就引来一阵哈哈大笑。

　　"我觉得秋芊合适——那天，我们组扫地，谁也不想倒垃圾，干脆猜'石头剪刀布'决定。等我们猜完后一看，

55

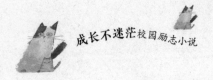

垃圾已经倒了，原来是秋芊倒的。"丁当说。

"我觉得嘻嘻派最适合做'甜蜜使者'——他知识面广，而且风趣幽默，又有表演天分。"贾锏说。

"贾锏，你可别害我，我不能做'甜蜜使者'，我一点不甜蜜，一出汗就臭烘烘。"嘻嘻派连连摆手，直往桌子下钻。杨梅希果知道嘻嘻派不想当'甜蜜使者'的真实原因是怕参加活动占用他玩耍的时间——真是个贪玩的嘻嘻派！

"我同意选秋芊，你们别忘了，秋芊制作的视频《闪亮的柠檬班》让我们班火了一把。"

"杨梅希果有很强的组织能力，每次的班队活动她都组织得很有意思。"

"秋芊够资格当'甜蜜使者'，她爱帮助同学，演仙女也演得很好，为集体争得了荣誉。"

……

杨梅希果碰碰嘻嘻派，小声说："你也说说啊。"

"说什么？"嘻嘻派问。

"说说我的优点啊，上次你的公交卡丢了，不是我送你回家的吗？"

"是你爸爸开车来接你，我顺道搭的便车，这也算吗？"

"怎么不算？"杨梅希果着急得不行，使劲儿推嘻嘻派，"拜托你了，快说说我的优点，是好朋友就支持我！"

嘻嘻派最受不了女生的请求，只好慢吞吞地站起来说："杨梅希果也不错啊，有一次我把公交卡搞丢了，她还主动送我回家呢。"

……

大家你一言我一语，推选着心目中的"甜蜜使者"，从场面上看，拥护杨梅希果和秋芊的同学最多。

"好了，同学们。"思雨老师说话了，"现在我们就进行无记名投票，请大家在选票上写上你认为最合适的那个人。"

于是同学们纷纷在选票上写上了自己心中的"甜蜜使者"。杨梅希果毫不犹豫地写上了自己的名字，旁边的嘻嘻派把选票捂得紧紧的，不给杨梅希果看。

杨梅希果使劲儿凑过脑袋，问："喂，你写的是谁？"

嘻嘻派坚决不说。杨梅希果只希望嘻嘻派写的不是秋芊，随便写谁都行，只要写的不是秋芊，她就不会生气。

班长卓宇洋在唱票的时候，杨梅希果的心里就像有一块石头悬在半空中，只要结果没出来，这块石头就无法落下来。不过，她告诉自己要有信心。她想起，早晨她对妈

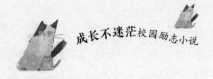

妈说:"我要给您一个惊喜。"妈妈问她是什么,她只笑笑说:"保密。"

"杨梅希果。"

"秋芊。"

"秋芊。"

"卓宇洋。"

"杨梅希果。"

"嘻嘻派。"

……

紧张的唱票还在进行着,杨梅希果每听到自己的名字一次,就会做个深呼吸,听到秋芊的名字,又会把心揪得紧紧的。

黑板上,她和秋芊的"正"字交替上升,很难分出胜负。很快,卓宇洋的手中只剩下最后一张选票了。杨梅希果和秋芊的票数都是19票,只要这最后一票被念出来,谁是同学们心中的"甜蜜使者"就将揭晓。教室里的空气仿佛凝固了,同学们都盯着卓宇洋手中的票看,连思雨老师也一动不动地等待着最后的结果。卓宇洋不知是不是故意吊大家的胃口,看了半天,才发现选票拿倒了,又翻过来大声地念出:"杨梅希果。"

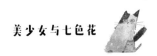

"噢——杨梅希果！"支持杨梅希果的同学大声欢呼起来。其中，诺小米的声音最大，因为她觉得杨梅希果最后能胜出也有她的一份功劳。

杨梅希果再也控制不住内心的喜悦了——这些日子以来，所有的担心、压抑，都在此刻得到了全面的释放，她有一种一飞冲天的感觉。

可就在此时，一个响亮的声音盖住了所有的欢呼声："杨梅希果没资格做'甜蜜使者'！"

大家的目光同时望向说这话的麻芝芝。麻芝芝虽说是女生，可是在柠檬班里是出了名的女霸王，连男生也怕她几分。

麻芝芝站起来义愤填膺地说："思雨老师，杨梅希果有拉票嫌疑。这样的投票是不公正的，对其他候选人来说不公平。"

思雨老师惊讶地问："你有什么证据吗？"

班里顿时一片肃静。杨梅希果犹如从天堂坠入地狱，万般煎熬。她没有为自己辩解，只是默默地观望事态的变化。

麻芝芝继续说："前些日子，杨梅希果给班里每个同学送了一份礼物，还让诺小米叮嘱收到礼物的同学在选'甜

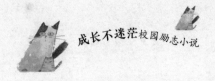

蜜使者'的时候投杨梅希果一票，否则，就收回礼物。不过，我可没收。"

"我也没收！"退还礼物的那几个同学赶紧申明。而收过礼物的同学都纷纷低下了头。

"希果，麻芝芝说的是真的吗？"思雨老师走到杨梅希果的身边求证。

杨梅希果含着泪水看着思雨老师，没有点头也没有摇头。

思雨老师又走到诺小米身边，问："你说有这回事吗？"

诺小米向来胆小，哪禁得起思雨老师这样严肃的质询，哭着连连点头。但她又不想出卖杨梅希果，只是说："是我……我自己想帮杨梅……"

思雨老师沉默了一会儿走上讲台，对大家说："既然刚才的投票不公正，那么我们现在重新投一次，我希望大家公平、公正地选出我们班的'甜蜜使者'，因为'甜蜜使者'代表的不仅是柠檬班的形象，还是甜蜜园小学的形象。同学们要用心选择。"

这一次杨梅希果哪里还有心情投票，她默默地坐在座位上，选票上一个字也没写，她准备放弃。

倒是嘻嘻派，就像什么事情都没发生过一样，还故意

把选票给她看。"你看，我写的是你的名字哦，我刚才也写的你的名字。别生气啦。"

杨梅希果看见嘻嘻派的选票上面的确写的是自己的名字，但她再也高兴不起来——虽然思雨老师没有当众批评她，但是她还是觉得无比难堪，真想马上回家。

最后的结果可想而知，秋芊以绝对的优势胜出，当选了"甜蜜使者"。那些收过杨梅希果礼物的同学下课后也纷纷走到杨梅希果身边，对她说："我明天就会把礼物还给你的。"

杨梅希果什么也没说，努力地装出无所谓的表情。

麻芝芝故意在教室里大声地唱："哭吧哭吧，你想哭就哭吧，谁叫你那么傻！哭吧哭吧……"

秋芊制止了麻芝芝，示意她别再唱了。然后她轻轻走到杨梅希果的身边说："希果，你别难受了，其实我选的也是你，如果你真的很喜欢当'甜蜜使者'，我去告诉思雨老师，让你当就是了。"

杨梅希果可受不了别人的怜悯，特别是对手秋芊。她抬起头来冲秋芊吼道："你少假惺惺的了，我才不稀罕什么'甜蜜使者'！"

海盗船

　　杨梅希果回到家里，打开琴盖，十个指尖在琴键上疯狂地起起落落，泪水滴滴答答地掉在琴键上。终于，她"哇"的一声趴在琴键上大声痛哭起来。"咚——"响亮的琴声击碎了长久以来堵在她心中的那块石头，击碎了她所有的伪装，更击碎了她高高在上的自尊心。

　　不知过了多久，她停止了哭泣，想起一个恼人的问题：该如何对妈妈说呢？她觉得自己无法面对对她充满希望的妈妈，于是只好给妈妈写了一封信，塞在妈妈的枕头下：

　　亲爱的妈妈：

　　很抱歉，我没能给您惊喜，让您失望了。我为了当选"甜蜜使者"，做了很多努力，但还是失败了。妈妈，我很伤心，无法面对您，也希望您不要同我面对面地谈起这件

事。您要对我说什么，请也用这种写信的方式，好吗？

你的女儿，希果

公主输给了小人鱼，公主忍不住大哭起来。如果能拥有七色花，公主就不会失败了。可是，神奇的七色花究竟在哪里呢？小飞侠，你不是说你知道吗？但是云崖山上根本就没有七色花，你是不是在骗我呢？

希希公主的博客——"公主的城堡"

"希果！"吃完晚饭，妈妈叫住了希果。母女俩坐在沙发上，妈妈率先打破沉默说："希果，不是妈妈不想采用你的交流方式，只是我们是一家人，有什么话不能当面讲呢？"

"妈妈——"杨梅希果哽咽了。

"女儿，"妈妈把希果搂在怀里感慨道，"可能我给你的压力太大了，从小就让你学这样学那样，又让你样样都必须拿第一……今天，思雨老师给我打电话，我们聊了很久。我到现在才明白：你的童年应该充满快乐和自由。我决定了，今后不会再要求你凡事争第一，只要你开开心心地成长就好。"

"妈妈，"杨梅希果抽泣着说，"可是，可是这次我让你

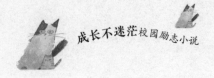

失望了呀！妈妈，我比不上秋芊，我是不是很差啊？”

"傻孩子，你已经很优秀了。在妈妈的心中，你永远是最出色的孩子。你还小，长大后还要面对很多的失败与挫折。人生哪能事事都如意啊？”

"妈妈，思雨老师是不是批评我啦？我不应该买礼物给同学来拉选票，我只是太想赢了。”

"思雨老师没有批评你，让我好好安慰你。"妈妈说完从身后拿出一本书递给杨梅希果，"这里面有一个故事叫《海盗船》，是妈妈小时候最喜欢读的童话故事，你可以读读。”

晚上，杨梅希果坐在自己的小床上读完了《海盗船》。这个故事讲的是一个小女孩和爷爷去大型游乐场坐"海盗船"。"海盗船"上升时，小女孩感到非常舒服，下降时却难受极了。这时，"海盗船"突然说话了："别怕，你们人间的生活，不也是这样的吗——上升时舒服，下降时难受……"

杨梅希果明白了妈妈的心意，也知道自己该怎么做了，只是，她还需要一段时间。

真的有七色花？

　　公主，我没有骗你，我一直在帮你寻找七色花。我查了好多资料，现在又有了新的发现，有资料显示：七色花生长在喀斯特石灰岩地貌的大山上，是山上最普遍的花，会在阳光下闪耀着美丽的光辉。春天的时候这种植物便会展开新鲜的叶子，花朵一直到冬天还盛开着，漫山遍野。它们的生命力极强，无论环境怎样恶劣，都能绽放出灿烂的小小的花朵。不过，我还在求证，请不要着急。

　　看到"小飞侠"新的留言，杨梅希果暂时淡忘了失败的滋味。她赶紧把这个好消息告诉了同桌嘻嘻派："嘻嘻派，原来真的有七色花呢！我知道七色花在哪里了。"

　　"是吗？"嘻嘻派半信半疑地问，"在哪里？"

　　杨梅希果从书包里拿出一张纸，上面打印着"小飞侠"

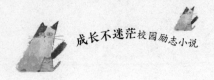

的留言。"你看，我用红笔勾的地方……'七色花生长在喀斯特石灰岩地貌的大山上，是山上最普遍的花……'"她顺着手指的移动逐字地读完留言，然后兴奋地说，"我就说这世界上有七色花，你还不信我呢！"

嘻嘻派读完后眨眨眼睛说："好吧，我相信你，可是有七色花又怎么样呢？"

杨梅希果说："我要去寻找啊——只要找到了七色花，我就能实现所有美好的愿望。"

"你真的要去找啊？就算七色花真的存在，也并不代表它就有神奇的力量啊。"嘻嘻派说。

"不试一试怎么知道呢？我肯定是要去找的！说吧，你支持我吗？"杨梅希果歪着头看着嘻嘻派，等待着嘻嘻派的回应。

"那好吧。"这一次，嘻嘻派非但没有打击杨梅希果，还鼓励说，"放学后我陪你去信息教室查查有喀斯特石灰岩地貌的大山在哪里。"

放学后，杨梅希果和嘻嘻派刚准备离开，秋芊却走过来对嘻嘻派说："嘻嘻派，我下周要代表学校去友好学校访问，巴茨校长要我准备讲解一下甜蜜园小学的历史。你上次不是告诉我学校图书馆里有相关的资料吗？你可不可以

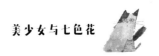

和我一起去找找？”

杨梅希果焦虑地站在一边，等着嘻嘻派拒绝秋芊。没想到嘻嘻派立即对秋芊点头说：“好啊，我这就和你去，我知道那资料在哪里，去年我参加学校演讲比赛的时候去查过。”

“嘻嘻派！”杨梅希果噘着嘴不高兴地说，“不是说好了你陪我去信息教室查七色花的资料吗？”

嘻嘻派满脸堆笑道：“杨梅，你自己回家上网也可以查的。再说秋芊的这件事是为了学校，老师不是常说个人服从集体吗？对不起哦。”嘻嘻派拍拍屁股就跟着秋芊走了。

“有什么了不起？嘻嘻派，你不帮我，还有‘小飞侠’可以帮我呢！”看着他们有说有笑地离开，杨梅希果气得眼泪差点流出来。她气鼓鼓地回到家，打开电脑，登上“公主的城堡”，给“小飞侠”留言：小飞侠，既然你知道七色花长在喀斯特石灰岩地貌的山上，那你能帮我查一查，什么地方有这样的大山吗？

晚上，杨梅希果真的收到了“小飞侠”的回复。“小飞侠”说：“据我所查，桂林有这样的地貌。”

桂林？杨梅希果只在课本里学过《桂林山水》这一课，了解“桂林山水甲天下”，仅此而已。去桂林要坐高铁吧？

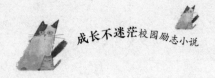

杨梅希果只和爸爸妈妈一起坐过高铁，但如果把寻找七色花的决定告诉爸爸妈妈，一定不会得到他们的支持，说不定还会被说成太天真、太幼稚。这可怎么办呢？

此时，杨梅希果实在找不到可以信任的人了。诺小米太胆小，嘻嘻派又只知道帮助秋芊。杨梅希果唯一信任的人就是这个神秘的"小飞侠"了。虽然"小飞侠"只是个陌生的网友，但是杨梅希果不知道为什么，就是十分信任他。

小飞侠，帮人帮到底，你愿意陪我一起去桂林寻找七色花吗？

可是，"小飞侠"一直没有回复。

杨梅希果不死心，再次给"小飞侠"留言：

小飞侠，我知道你是个好人，也相信你一定会帮我。星期六下午两点，我在云崖山公园的山顶等你来。我叫杨梅希果，长头发、大眼睛，那天我会穿红色格子的背心裙。我等你。

嘻嘻派的魔术

星期六下午，杨梅希果穿上红色格子的背心裙，独自去了云崖山公园。她希望"小飞侠"会出现，和她一起去寻找神奇的七色花。

"小飞侠"会长什么样呢？是男生还是女生？会不会和嘻嘻派一样幽默、一样聪明呢？

杨梅希果一边想着，一边爬上了山顶。她环视四周，没有发现任何人像"小飞侠"，再看看手表，才一点半——"小飞侠"也许还没来呢。于是她去大树下找明媚。

听见杨梅希果的声音，明媚开心极了。杨梅希果和诺小米已经两个星期没有来了，明媚特别想念她们。

"希果，小米呢？"明媚问。

"小米今天要补习功课，所以不能来了。"杨梅希果撒

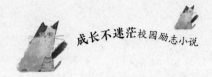

谎了。其实，她不带诺小米来是不想让诺小米知道"小飞侠"的存在，也不想让诺小米知道她要去桂林。杨梅希果了解诺小米——她知道自己的计划后一定会吓得去告诉老师，这样寻找七色花的计划就会全盘落空。

不过，明媚可就不同了，明媚喜欢听童话故事，内心和杨梅希果一样充满了奇思妙想，相信一切虽然不切实际，但十分美好的事物。所以，杨梅希果把自己要去远方寻找七色花的大胆想法告诉了明媚。

"真的吗？"明媚兴奋地说，"你真的要去寻找七色花吗？"

"是的，我会去的。"杨梅希果很坚定，就像是要去完成一个神圣的使命。

明媚开心地拍手道："如果真有七色花的话，那我的眼睛就有救了，就不需要花很多钱做角膜移植了！"

"角膜移植？"杨梅希果问。

"是的，医生说像我这种情况，只要找到合适的角膜源，就可以重见光明。可是，我觉得……即使找到了也未必可以吧——我们家根本没那么多钱用来做角膜移植手术。"明媚轻轻地叹了一口气。

杨梅希果握着明媚的手说："你放心吧，明媚，等我找

到了七色花，什么问题都解决了。"

明媚的脸上闪过一丝亮光："好的，希果，我会在这里等你回来的！"

明媚的笛声在山坡上欢快地跳跃，杨梅希果听着听着，仿佛看到了满山的七色花在对她们点头微笑。

眼看和"小飞侠"约定的时间已经过去了，杨梅希果并没有发现任何一个像"小飞侠"的人，她非常失望，总觉得"小飞侠"不应该爽约。

"Hello！"一架纸飞机落在了杨梅希果的脚下。杨梅希果回头一看，原来又是嘻嘻派，他正在大树后扮鬼脸。她还在生嘻嘻派的气，所以扭过头去不理他。

"明媚，你好！"嘻嘻派向明媚打招呼。明媚一听就知道是嘻嘻派，于是说："嘻哈小王子，你好，谢谢你上次带我去拍照片，我妈妈都说很漂亮呢。"

嘻嘻派得意地说："不用谢。我还有很多好玩的妙招儿，你要不要都试一试？"

"好啊好啊。"明媚开心地说。

"那我给你变一个魔术。"嘻嘻派眨着眼睛说。

杨梅希果瞪了嘻嘻派一眼，心想：这个嘻嘻派总是动歪脑筋——明媚根本看不见，变什么魔术啊！

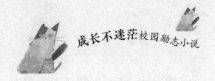

没想到，明媚却拍手叫道："太好啦！我经常听见电视里说在表演魔术，可从来不知道什么叫魔术。嘻嘻派，你真的可以让我'看见'魔术吗？"

"当然。"嘻嘻派自信地说，"有些魔术是用来看的，有些魔术是用来感觉的。"

嘻嘻派说完，从兜里摸出一枚硬币递给明媚，问："你摸摸，这是什么？"

"一枚硬币。"明媚说。

"好！那你现在把这枚硬币放到我的手里，然后合上我的手掌。"嘻嘻派伸出右手，摊开手掌。

明媚小心翼翼地将这枚硬币放进了嘻嘻派的右手心，嘻嘻派立即把这枚硬币抽走，放在左手心上。可是明媚并不知道，赶紧合上了嘻嘻派的手掌。

这一切当然被杨梅希果看在了眼里。她捂着嘴巴偷笑，不敢让明媚听见。

嘻嘻派故弄玄虚地说："明媚，你握紧我的手不能松开哦，一定不能松开哦。"

"嗯、嗯。"明媚认真地点点头。

"现在我要念咒语了。"嘻嘻派嘴里念道，"咪咪咪咪嘛……硬币硬币飞——"

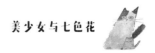

"现在是见证奇迹的时候了。明媚,你可以打开我的手掌,看看你发现了什么。"嘻嘻派说。

明媚小心翼翼地打开嘻嘻派的右手,在嘻嘻派的掌心里摸索,果然找不到那枚硬币。她惊呼起来:"硬币真的飞走了呀,嘻嘻派,你太厉害啦!"

嘻嘻派得意地说:"明媚,这就是魔术,魔术也是可以感觉的,是不是?"

杨梅希果不得不佩服嘻嘻派,这样也可以骗到明媚。不过,看见明媚那么开心,她当然不忍去戳穿嘻嘻派的骗局,她知道,这是善意的欺骗。

这时,嘻嘻派又"口出狂言"道:"明媚,我还有更厉害的魔术,叫'大变活人'。"

"真的?"明媚睁大了眼睛。

"我可以把杨梅希果隐身不见。"嘻嘻派对杨梅希果眨眨眼睛。

"嘻嘻派,你——"杨梅希果终于忍不住和嘻嘻派说话了。她一脸怒气地看着嘻嘻派,不知道他又要出什么怪招儿。

"你把希果隐身了还能把她变回来吗?"明媚既想再次感觉魔术的神奇,又担心希果会消失不见。

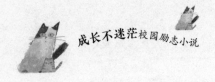

"我这个大魔术师当然能把她变回来。"嘻嘻派说，"杨梅，你敢挑战吗？"

杨梅希果当然知道嘻嘻派不可能把她隐身，一定是想逗明媚开心。所以，杨梅希果只好配合地说："我敢。"

嘻嘻派让明媚把手按在杨梅希果的头上。然后，他开始念咒语："咪咪咪咪嘛……杨梅希果隐身不见——"念到这里，他对杨梅希果点点头，杨梅希果心领神会，屏住呼吸，轻轻地一弯腰，一缩头，从明媚的手下闪开了。

"希果——"明媚伸手一抓，果真没抓到杨梅希果。她突然紧张起来，双手在空中挥舞，大声叫道："希果，你在哪里？对不起，我不是故意想让嘻嘻派把你变走的，你快回来！嘻嘻派，你快让希果回来。"

"别紧张，咪咪咪咪嘛……杨梅希果，出现——"嘻嘻派再次念道。杨梅希果赶紧又钻入了明媚的手下。明媚一下子抱住了杨梅希果，她激动得全身发抖，差点哭了出来。

"明媚，别怕，这只是魔术，魔术都是骗人的。"杨梅希果安慰明媚。她不知道明媚为什么那么害怕。

人在完全黑暗的世界里失去了身边的人，这一定是最无助、最可怕的事情。这样的感觉也许只有双目失明的人才能体会。

看见明媚这么害怕，嘻嘻派也急了，只好不停地道歉："对不起明媚，我不是故意的，看，我不是把杨梅变回来了吗？以后我再不给你变魔术了，好不好？"

过了一会儿，明媚的情绪慢慢恢复了，说："嘻嘻派，我还是喜欢你变魔术，只要别再把人变不见就行了。"

眼看太阳就快落山了，可是"小飞侠"还没出现，杨梅希果只好失望地和嘻嘻派一起离开了云崖山公园。

"嘻嘻派，我知道桂林可能有七色花，你愿意和我一起去桂林寻找吗？"杨梅希果抱着最后的一线希望问嘻嘻派。嘻嘻派惊恐地说："杨梅，你疯了吗？去桂林要坐高铁，你难道不上学了吗？我们暑假再去寻找也不迟啊。"

"怕什么，我在网上查过了，从我们这里去桂林坐高铁只需要 5 个小时，很快的。我不想等到暑假，我等不及了。"

嘻嘻派还是摇头，说："不可以，太危险了，如果让家长和老师知道，我们也会被批评的。杨梅，我们还是等暑假再去吧。我们可以去报个夏令营，那时和几个同学一起去不是更好吗？"

没有见到"小飞侠"，又遭到了嘻嘻派的反对，杨梅希果越想越恼火，她突然冒出一个大胆的想法：我一个人

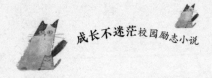

也要去桂林寻找七色花，并且马上就行动！她为自己的这个想法暗自激动，心情一刻也不得平静，整晚都翻来覆去，没有睡着。

公主已经知道了七色花的所在地，为了治好小丸子的眼睛，为了能战胜小人鱼，为了向王子证明这世上有真正的七色花，公主决定到那个很远很远的地方寻找七色花。美丽的城堡，公主出发了，请你等着公主回来吧！

希希公主的博客——"公主的城堡"

公主出发了

星期六的早晨，杨梅希果趁爸爸妈妈还在熟睡的时候，偷偷地起了床。她将换洗衣服、水壶、手机、身份证、学生证，还有平时存的钱，装进了自己的旅行背包里，然后悄悄地溜出了门。她的内心很激动，走路也特别快。

因为是清晨，火车站的人不算多。杨梅希果一点都不觉得害怕，背着背包拿着身份证和学生证来到卖票的窗口说："我要买一张到广西桂林的高铁票。"

售票员看见是一个小姑娘，随口问："一个人？有家长吗？"

杨梅希果没想到刚出发就遇到了阻拦，心虚得不知怎么回答，退出卖票窗口，看着买票的人流，心想：不可以就这么放弃，一定会有办法的！

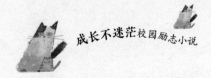

　　这时，杨梅希果看见了一位年轻漂亮的阿姨，于是，她壮着胆子走到那位阿姨身边，将钱和证件递给阿姨说："阿姨，您能帮我买一张去广西桂林的高铁票吗？我和妈妈走散了，我的家在桂林，我想赶快回家。"

　　"小朋友，阿姨帮你报警吧！"

　　"不用了不用了！"杨梅希果连连摆手说，"我和爸爸说好了，到了桂林，爸爸会去高铁站接我，阿姨，您帮帮我好吗？"

　　阿姨觉得杨梅希果不像说谎，便点点头，帮杨梅希果买了一张去桂林的高铁票。

　　杨梅希果接过票，开心地说："谢谢阿姨！请问阿姨，这辆车什么时候到桂林？"

　　"下午 2 点就到了。"阿姨说。

　　杨梅希果紧紧地握着高铁票在候车厅里坐着。这是她长这么大第一次一个人外出。她想若不是为了七色花，我肯定拿不出这样的勇气。

　　上了高铁，杨梅希果很快就找到了自己的座位。高铁徐徐开动，杨梅希果摸出手机给爸爸发了一条微信：爸爸，我现在在高铁上，我要去寻找七色花了，顺利的话，明晚就回来，不会耽误上课的。你和妈妈千万别担心我，我会

照顾好自己的，谢谢。微信发出去以后，她赶紧关上了手机——她可不想让任何人破坏她的计划。

旁边座位上，一个胖叔叔笑眯眯地看着杨梅希果问："小姑娘，一个人上哪儿去呢？"

杨梅希果非常警惕，说："我不是一个人来的，我爸爸妈妈坐那边。"

"哦——"胖叔叔没再说话了。

窗外，一排排葱茏的树木飞驰而过，透过薄雾，可以看见远远的山，像一幅淡淡的水墨画。杨梅希果看着窗外，沉浸在一个人出门的兴奋里。

再说希果的爸爸，收到杨梅希果的微信后，马上从床上弹了起来，一个劲儿打女儿的电话，可是怎么也打不通。他连忙叫醒了希果妈妈："不好了，不好了，孩子出事了！"

两人慌慌张张地起床，看见杨梅希果的房间里果真不见人影，旅行包不见了，手机、水壶都不见了。

"怎么办？难道希果离家出走了？这可怎么是好啊！"希果妈妈当即就流下了眼泪。

希果爸爸冷静地说："我们先去找找，如果找不着的话就只好报警了。"

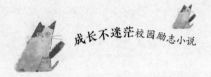

不一会儿，思雨老师、巴茨校长都知道杨梅希果失踪的消息了，大家都分头寻找起来。诺小米平时和杨梅希果关系最好，她为大家提供了一条线索：如果杨梅希果是去寻找七色花的话，应该在云崖山上。

于是，诺小米带着希果的爸爸妈妈匆匆赶到云崖山，可是找遍了云崖山也没找到杨梅希果的身影。不过，他们在云崖山遇到了明媚，她提供了一条新的线索：杨梅希果昨天下午来过这里，说要去一个很远很远的地方找七色花。

这可把大家急坏了，杨梅希果所说的很远很远的地方究竟是指哪里呢？这时，嘻嘻派又提供了一条很有用的线索：杨梅希果很可能去广西桂林了。他说杨梅希果本想让他一起去，但是他劝杨梅希果不要去，没想到杨梅希果真的一个人去了。

大人们意识到了事情的严重性，希果爸爸果断地报了警。警察和希果爸爸迅速赶到高铁站，可是去桂林的高铁已经出发了。警察在监控室里调出了监控录像，发现杨梅希果果真来了高铁站，还让一位阿姨帮她买了票。希果爸爸急得直跺脚，赶紧订了一张去桂林的飞机票，想在桂林高铁站截住女儿。警察也向桂林警方发出了协查通报。

陌生的城市

　　杨梅希果在高铁上吃了一碗泡面，喝了一碗绿豆汤。一个人出门果真挺无聊的。高铁飞速前进，应该还有两个小时就能到目的地。旁边的胖叔叔已经下车了，换成了一个瘦瘦的高个子男人，他的一双小眼睛滴溜儿滴溜儿转，显得鬼头鬼脑。杨梅希果打了个呵欠，觉得有些困了，一想到两小时后就可以到达桂林，就可以找到梦中的七色花，她微笑着闭上眼睛，抱着旅行包打起盹儿来。

　　"小花瓣，飞呀飞，飞到东来飞到西，飞到南来飞到北，让我实现所有的愿望吧！"杨梅希果在梦中捧着七色花旋转。七色花散发着甜美的香味，杨梅希果撕下一片花瓣说："小花瓣，飞呀飞，飞到东来飞到西，飞到南来飞到北，让明媚的眼睛重见光明吧！"明媚立即就出现了，眨

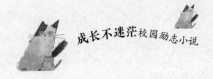

巴着闪亮的大眼睛牵着杨梅希果的手和她一起跳舞。杨梅希果又撕下一片花瓣说："小花瓣，飞呀飞，飞到东来飞到西，飞到南来飞到北，让王子喜欢我吧！"这时，嘻嘻派又笑眯眯地出现在杨梅希果的眼前说："希果，我觉得你是我心中最漂亮的女生！""咯咯咯咯……"杨梅希果笑出了声。

"咚——"车子一摇晃，杨梅希果清醒了。

"亲爱的旅客朋友，本次列车已经到达了终点站桂林……"

杨梅希果兴奋地跳起来，可是她马上觉得不太对劲儿——糟糕！怀里的旅行包怎么不见了呢？旅行包呢？她焦急地到处找，突然她想起了身边那个鬼头鬼脑的瘦高个儿，他一直盯着自己看，旅行包一定是被他偷走了。

旅行包不见了，衣服、水壶都没有了，更重要的是没有了钱。眼看车厢里的人走得差不多了，杨梅希果不知所措，只好跟着人流下了高铁。她没有勇气报警，强忍着泪水走出了高铁站。高铁站外人来人往，她望着完全陌生的一切，这才感到了害怕。她有些饿了，衣服也被汗水打湿了，她现在不知道该上哪儿去，该怎么办。于是她在台阶上坐了下来。这时，她触到了屁股兜里的手机，突然觉得

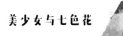

有了希望。她将手机摸出来，开机，微信信息接连不断地
跳出来：

希果，你在什么地方？快回复！

希果，爸爸妈妈很担心你，你看到信息速回电话。

女儿，童话中的七色花根本不存在，你别傻了！

女儿，快回家！爸爸已经飞到桂林去找你了，你不要
出高铁站，在那里等着爸爸……

看到这些信息，杨梅希果的眼泪大颗大颗地落了下来，
但同时，她又感到十分紧张，心想：爸爸来桂林了，我可
千万不能被他带走。我千辛万苦来寻找七色花，一定要找
到了才能回家，否则，所有的辛苦都白费了。于是，杨梅
希果连忙给爸爸回了一条微信：爸爸，你们别找我了，我
已到达了目的地，我很好，找到七色花我就回家。发完微
信，杨梅希果再次关上了手机。为了不让爸爸发现她，她
把外套反穿在身上，又把头发散开，遮住脸颊。然后，她
摸摸上衣的口袋，幸好还有十元零钱，于是赶紧跳上了一
辆去往市区的公共汽车。

过了不久，杨梅希果下车了。中午的阳光炙烤着大地，
她走啊走啊，觉得全身都快要被烧化了，这可比在学校军
训还要累还要苦啊！

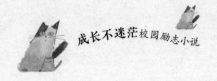

　　终于，她看见不远处有一个大大的"当"字。啊，有希望啦！杨梅希果握着手机激动地冲进了这家典当行。这个手机是爸爸送给她的 10 岁生日礼物，她其实很喜欢，但是现在她不得不流着泪亲亲手机对它说："对不起，我没办法，只有委屈你了。"

　　典当行的老板望了望杨梅希果，又看了看手机说："1000 元。"

　　"不会吧，这可是最新款的手机，我爸爸刚给我买的，当初花了 8000 多买的呢！"杨梅希果大声抗议。

　　"昨天买的，今天卖也是二手货，再说你连发票都没有。这样吧，看你是小朋友，再给你加 100，1100 元。你要当就当，不当就算了！"

　　此时的杨梅希果又渴又饿又累，她实在走不动了，只好咬咬牙说："当吧！"

　　拿着当票和钱，杨梅希果恐慌的心才平静了下来。她告诉自己一定要坚强，既然决定了来寻找七色花，就要克服所有的困难。她怕再丢钱，就在路边花 15 元买了一个手工编织的小花布包，然后把当票和钱都放进了包里，再把包斜挎在身上，紧紧地捂着，她告诉自己必须要加倍小心。然后，她到快餐厅饱餐了一顿。透过快餐厅的窗户，看着

街上如水的车流和行人，她再次感到迷茫：人倒是来了桂林，可是该从哪里开始寻找七色花呢？

她向四周望了望，看见一个大姐姐正在一边喝可乐一边看书，像是本地人，于是走过去问："姐姐，你能告诉我怎样去桂林山水吗？"

大姐姐抬起头望着杨梅希果，说："小妹妹，你是外地来旅游的吧，你的爸爸妈妈呢？"

"哦，我爸爸妈妈在酒店里，我一个人出来逛逛，顺便问问。"杨梅希果不想让别人怀疑。

大姐姐说："桂林的山水有很多，象鼻山、伏波山、七星景区、梦幻漓江……看你要去哪里。你们外地的游人，最好还是跟着旅行团吧，酒店不是也有推荐旅行社的吗？"

杨梅希果点点头，继续问："那姐姐你知道哪座山上有七色花吗？"

"七色花？"大姐姐咯咯笑了，"小妹妹，那是童话中的花朵吧，我没听说过桂林的哪座山上有七色花。"

"有的，有的，资料上说七色花生长在喀斯特石灰岩地貌的大山上。我查过了，桂林的很多山都是喀斯特石灰岩地貌，所以这里肯定有七色花。"杨梅希果很着急。

"是吗？"大姐姐半信半疑地说，"可是，我真的不知

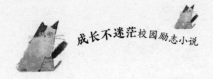

道呀，就算真有这种花，桂林那么多山，谁知道哪座山上有呢？简直是大海捞针啊！"

杨梅希果有些失望，但是她没有放弃。她相信自己这一趟不会白来。

"小飞侠"终于现身了

　　天色渐渐暗了下来，美丽的夕阳撒下了点点金辉，给黄昏的桂林市披上了一件五彩衣。杨梅希果决定明天一早再去寻找七色花，现在当务之急是要找一家酒店住下来。

　　杨梅希果和爸爸妈妈出去旅行时倒是住过不少高级酒店，但是现在她知道自己身上的钱不够，除去买回去的高铁票的钱，她只剩下 600 多元了。于是她选择了一家看上去不怎么豪华的酒店。然而，即使是这样的酒店，普通标准间也要 480 元一晚。

　　"姐姐，可以打折吗？"杨梅希果看着价目牌问。

　　那个前台服务员抬起头望着杨梅希果说："不可以，我们的标准间价格已经很优惠了，房间里有无线网络，还免国内长途电话费，含明日早餐。"

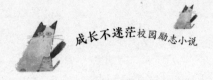

"可是我没那么多钱。"杨梅希果无奈地说。

"你的家长呢？订房间是要身份证的哟。"前台服务员疑惑地说。

杨梅希果转了转眼珠说："我和爸爸妈妈在桂林走散了，还没联系上。要不，姐姐您先让我住下来，我给爸爸打电话联系上以后，让他来这里接我，好吗？"

那位前台服务员将信将疑，想了想说："我得问问值班经理，小姑娘你等等。"

过了一会儿，一个高大的叔叔走过来问杨梅希果："小朋友，需要我们帮你报警找你的爸爸妈妈吗？"

杨梅希果吓得直摇头："不、不、不需要，我爸爸妈妈很快就会赶来的。"

"那好吧，你先在这里住下来。阿娇，你给小妹妹开个房间，打个 7 折，就不收她押金了。"

"好的，经理。"阿娇说。

杨梅希果心里别提多高兴啦，没想到这么容易就住进了酒店。她想桂林的人真好，难怪只有这里才能生长出神奇的七色花。杨梅希果的眼睛在大堂里转悠，墙上贴着的一则广告吸引了她：

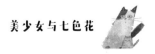

桂林山水精华景点一日游

行程安排：

上午从酒店出发，游览芦笛岩、象鼻山、伏波山。

下午 游览叠彩山、七星公园。

每日早晨 8 点组团，每人 130 元。

"阿娇姐姐，这个一日游明天早晨也有吗？"杨梅希果指着这则广告问。

阿娇说："有啊，你想参加的话，可以使用叫醒服务，到时候我们前台服务员会叫你起床。不过，你不用等你爸爸妈妈吗？"

"哦，我只是随便问问。"杨梅希果说。

阿娇递给杨梅希果房间的钥匙以及早餐券说："小妹妹，906 号房。有什么问题可以打前台的电话。"

"谢谢姐姐。"杨梅希果开心地接过东西，她刚准备走又调过头来问，"阿娇姐姐，你听说过七色花吗？"

阿娇点点头说："童话中的七色花嘛，我小时候很喜欢花仙子，花仙子不就有一朵七色花吗？"

"那你知道桂林就有这种花吗？"杨梅希果神秘地眨眨眼睛。

"哈哈，这我就不知道了。"阿娇姐姐摇摇头。

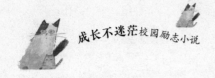

怎么桂林人都不知道七色花的存在啊？杨梅希果真是郁闷。不过她已经决定了明天一早就要跟那个一日游旅行团，去那几座名山上看看，说不定会有惊喜。

酒店的房间虽然算不上豪华，但也算干净。杨梅希果洗了一个热水澡，将满是汗水的体恤和牛仔裤换下，穿上了自己在街边买的一条少数民族风格的小裙子。她把头发绑成辫子，对着镜子一照，倒挺像少数民族的小姑娘。

"嘿嘿嘿……"杨梅希果在床上又蹦又跳，一点不觉得累了。她忽然觉得自己长大了许多，非常佩服自己的勇气。看着床边的电话，杨梅希果很想给妈妈打一个电话，又怕妈妈担心。她拿起电话，又放下了，心想：不行，如果给妈妈打电话的话，爸爸妈妈肯定很快就会找来，那我还怎么去找七色花呢？算了！不如先给嘻嘻派打个电话，让他猜猜我在哪里。

"喂——"嘻嘻派的声音传来。

"嘻嘻派，你猜我现在在哪里！"杨梅希果咯咯笑。

"杨梅希果？你现在在哪里？你知道吗，你爸爸妈妈到处找你，思雨老师和巴茨校长都快急死了！还有，你爸爸已经报警了，他还飞到桂林去了，你还没见到你爸爸吗？"嘻嘻派不等杨梅希果说话，就一股脑说了这么多话。

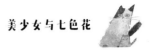

什么？爸爸报警啦？杨梅希果简直不敢相信事情已经变得这么严重。她说："嘻嘻派，我没事。我明天就去找七色花，我找到了就回来。如果你是我好朋友的话，就替我保密。"

"喂，你别傻了……"

不等嘻嘻派说完，杨梅希果就匆忙挂断了电话。糟糕，如果爸爸报警了，警察会不会很快找到这里来呢？如果警察来了，该怎么办？唉！杨梅希果不想去想那么多了，现在也只有走一步算一步了。

杨梅希果吃了一碗泡面，觉得无聊，便决定去自己的"城堡"看看。于是她打开了酒店房间里的电脑。

进入"公主的城堡"，杨梅希果感觉像回到了家一样亲切。

公主，你去了哪里？快回来吧！

——小飞侠

公主，你如果看到我的留言，请速回来，大家都很担心你。

——小飞侠

杨梅希果，你疯了吗？真跑去找七色花，你知道外面多危险吗？要是遇到坏人怎么办？都怪我不该帮你查找七色花的所在地，可是我没有想到你会马上去寻找啊！谁知

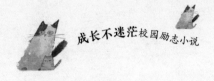

道你那么傻呢？

——小飞侠

你快回来吧，杨梅希果，我说过暑假陪你去找七色花，我一定不会食言的！

——小飞侠

暑假陪我去找七色花，这不是嘻嘻派说过的话吗？看到这里，杨梅希果恍然大悟：哈哈，原来嘻嘻派就是"小飞侠"啊！难怪那天"小飞侠"没有出现在云崖山，嘻嘻派却突然出现了。嘻嘻派嘴上说不帮我找七色花，原来一直在暗中帮我，还扮成"小飞侠"来帮助我。杨梅希果想到这里其实也有些暗暗的喜悦，至少她能感觉到嘻嘻派还是很关心她的。

公主已经到达了七色花生长的地方，虽然遇到了一些困难，但公主都一一克服了。现在公主的心情是充满期望的，明天公主就会上山去寻找七色花了。祝福公主吧，美丽的城堡！

今天公主还有一件特别开心的事情，就是知道了小飞侠是谁。小飞侠，谢谢你对公主的关心，公主一定会胜利归来的！

希希公主的博客——"公主的城堡"

寻找七色花

第二天一大早，杨梅希果睁开蒙眬的眼睛，看见自己的手表上已经显示 7 点 50 分了，她连忙翻身起来穿好裙子，头发都顾不上编，就直奔酒店大厅。

还好，旅行团还没有出发，杨梅希果又慌慌张张地冲到餐厅拿了两块蛋糕。

"咚"的一下，杨梅希果不小心撞到了昨天的那位值班经理。值班经理看着杨梅希果问："小妹妹，你的家长还没来吗？要不要我们帮你报警？"

"不用了，不用了，我爸爸一会儿就到。"杨梅希果嘴里含着蛋糕，说话含混不清，她向经理做了个再见的手势，就像小鸟一样飞上了旅行团的车子。

旅行的第一站是芦笛岩。导游介绍说："芦笛岩自 1959

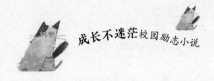

年被发现，是桂林山水一颗璀璨的明珠。"有游客问："为什么叫芦笛岩呢？"导游说："因为芦笛岩所在的光明山上长满芦荻草，人们可以把它做成笛子，吹出悦耳动听的声音，芦笛岩因此得名。"杨梅希果想：如果明媚听到这些，一定会非常喜欢芦笛岩的，说不定她也会在山上把芦荻草做成笛子来吹呢。

导游带着大家游览了芦笛岩洞，洞内有大量绮丽多姿、玲珑剔透的石笋、石乳、石柱、石幔、石花……千姿百态，真是漂亮极了。

杨梅希果想：如果我没把手机当掉的话，把这些风景拍下来发到自己的"城堡"里，那才美呢！

"导游姐姐，芦笛岩这里有七色花吗？"杨梅希果走到导游的身边问道。

"七色花？"导游茫然地摇摇头说，"这个我不是很清楚，我想花儿一定长在山上吧，不如我们到下一站象鼻山去问问当地的人。"

"好啊！"杨梅希果拍手欢呼。

"象鼻山，又称象山。明代诗人孔镛写道：'象鼻分明饮玉河，西风一吸水应波。青山自是饶奇骨，白日相看不厌多。'这一百看不厌的象鼻山位于漓江和桃花江的江流汇合处。山形酷似一头巨象伸长鼻子临江吸水，因而得名。象鼻与象身之间的大洞，便是著名的水月洞，范成大说它'其形正圆，望之端整如月轮'……"随着导游温婉动听的介绍，车子到了桂林著名的景点象鼻山。

江上竹筏如织，江边游客成群。暖融融的阳光笼罩着象鼻山，哇，形象的"象鼻"伸入江心中，像是在使劲儿地喝水，有趣极了。游人们纷纷选择理想的角度拍照。杨梅希果可没有这个心情。杨梅希果抬头望着山顶，似乎七色花就在那里向她招手。她越想越兴奋，便沿着石阶小路跑向山顶。她飞快地跑在前面，导游追在后面大声喊："小姑娘，你慢一点，别脱离队伍了！"

象鼻山的山顶平展，绿树成荫，那儿有一座石塔，远远望去，像个小巧的公主王冠。杨梅希果无心游览，只顾寻找七色花的影子。她在一些叫不出名字的花花草草中找了半天，根本没有看见有七色花瓣的花。

满头大汗的杨梅希果失望地坐在了地上。导游拿着手机走过来说："小姑娘，我帮你拍张照吧！"

杨梅希果一挥手，眼泪就涌了出来，说："我不拍！为什么没有七色花呢？为什么没有七色花呢？"

看见杨梅希果放声大哭，游客们都围了过来。导游把

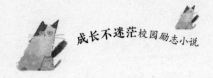

杨梅希果搂在怀里安慰道："别哭了，别哭了，我们再到下一站去找找七色花，好吗？"

"这小姑娘挺有意思的，跑这里来找七色花！"

"小姑娘，你是一个人来的吗？"

"你的爸爸妈妈呢？"

……

人们开始纷纷询问杨梅希果。

这时一个老爷爷走出人群，来到杨梅希果的身边："孩子，你想寻找七色花吗？"

杨梅希果抬起头，泪眼婆娑地望着老爷爷。

老爷爷笑眯眯地说："以前这里确实是有七色花的，花朵不大，一片片花瓣紧紧地抱成一团，深红、粉红、鹅黄、乳白等好多颜色凑在一起……但是后来因为过度开发，再加上游人总是随意地把它们折下来，现在几乎已经看不见这种花了。不过郊外的大山上肯定还是有的！"

杨梅希果渐渐停止了哭泣，她想着老爷爷的话——郊外的大山上有七色花，可是自己要怎么去郊外的大山呢？

"走吧，小妹妹，我们该去下一站了。"导游把杨梅希果扶起来。

陷入骗局

"小姑娘，我知道哪里能找到七色花，你要不要和我一起去寻找啊？"刚才的那位老爷爷走到杨梅希果身边，悄悄对她说。

"你真的知道吗？"杨梅希果半信半疑地看着眼前这位慈眉善目的老人，觉得他不像骗子。

"当然。我已经65岁了，对七色花的来历非常了解。"老爷爷胸有成竹地说。

于是，杨梅希果趁导游小姐不注意时，和老爷爷一起避开了导游的视线，钻入一条小路，脱离了旅行团。

两人走了很久，才走到山下。杨梅希果累得大口喘气，在旁边的大石头上坐了下来，说："老爷爷，我走不动了，我要休息一会儿。"

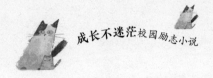

"不能休息了，再晚的话就找不到七色花了。"老爷爷拉起杨梅希果。

"可是，我还不知道您的名字呢？我叫杨梅希果，绰号'希希公主'，您呢？"杨梅希果问。

"我姓段。"老爷爷有些不耐烦了，示意杨梅希果快点走。

"爷爷，我们下山后去哪里找七色花呢？"杨梅希果想问清楚一些。

"不是跟你说过了吗，去郊外的大山上找！""段爷爷"说。

找七色花的愿望蒙蔽了杨梅希果的双眼，也让一向聪明的她失去了判断的能力。她跟着"段爷爷"快步朝前走去，却没想到，危险正在等着她。

途中，"段爷爷"打了一个电话，说了一大通杨梅希果听不懂的方言。之后，"段爷爷"就一路沉默着。杨梅希果问："爷爷，我们还要走多久呢？"

"很快就到了，我叫我的儿子开车过来送我们去呢。""段爷爷"微笑着说。

"爷爷，您真好。我找到七色花的话，一定会好好感谢您的。"杨梅希果天真地说。

不一会儿，"段爷爷"就把杨梅希果带到了一辆黑色的小轿车前，示意杨梅希果上车。杨梅希果钻进车里，看见了一位年轻叔叔。这位叔叔自称是"段爷爷"的儿子。

车子一路前行，杨梅希果的心里很高兴，期待着七色花能快点出现在自己的眼前。

小轿车开了好久好久都没有要停下来的意思。杨梅希果问了"段爷爷"好几次还要多久到达目的地，"段爷爷"总是说"快了，快了"，可是眼看窗外的天色越来越暗，风景也越来越荒凉，杨梅希果开始有点不安了。她偷偷打量着"段爷爷"和他的儿子，发现他们俩长得并不像。这时，她才提高了警惕，说："我想上厕所。"

"段爷爷"说："再坚持一会儿就到了，这里没有厕所。"

"我实在憋不住了，停车，我在旁边方便一下就是。"杨梅希果故作难受地说。

"不行，马路上不能大小便！"开车的"段叔叔"说。透过车子的后视镜，杨梅希果看见"段叔叔"的眼睛里露出了凶狠的光芒。她越发感到不安，没有再说话，只是在想：万一他们真是坏人，我该怎么办呢？

终于，小轿车停了下来，杨梅希果下车后发现，天已

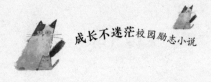

经完全黑了，四周十分安静，什么也看不见。

"爷爷，现在还能找到七色花吗？"杨梅希果问。

"现在已经很晚了，找不到了，明天一早我们就带你去找，七色花就在对面的山上。""段爷爷"随便指了指远方，就把杨梅希果带进了一间村舍。

村舍里很简陋也很凌乱，到处都是废弃的方便面盒子和啤酒罐，散发着一股股恶臭。杨梅希果捂着鼻子站也不是坐也不是。

"小姑娘，把你家长的电话给我，明天找到七色花后，我们就通知你家长带你回去。""段爷爷"说。

杨梅希果更加觉得情况不妙了。要家长的电话？这不正像是警匪片里绑架的桥段吗？难道……

"我不记得爸爸的电话了，明天找到了七色花后你们送我回酒店就可以了。"杨梅希果说。

这时，"段叔叔"一把推开"段爷爷"，说："别跟她废话！"

"小姑娘，我告诉你，快说出你家长的电话，否则你永远别想回家！""段叔叔"露出了狰狞的嘴脸。

杨梅希果吓得连连后退了几步，这一刻，她总算是彻底清醒了——她被骗了！

　　杨梅希果不得不说出了爸爸的手机号码，她告诉自己一定要冷静，不要害怕。甜蜜园小学经常对学生们进行自我保护的安全教育，对于遭遇这样的危险，老师也讲过保住自己的性命是第一重要的。

　　"段爷爷"把杨梅希果推进了里屋，说："对不起了，小姑娘，只要你爸爸给钱了，我们就放你。"

　　杨梅希果听到了门上锁的声音。她使劲儿拉了拉门，但拉不开。

　　屋里一片漆黑，杨梅希果这才感到了强烈的恐惧。她突然想到了明媚，明媚每一天都生活在这样的黑暗之中，是多么难受啊！因为不知道周围有什么，杨梅希果不敢移动，她挨着门慢慢蹲下来，把随身的小花布包垫在屁股下，坐到了地上。她抱着自己的头，怪自己太过天真，错信了坏人。此时，能不能找到七色花对她来说已经变得不重要了，她只希望爸爸能尽快救她出去。她还有好多事情没有做，好多心愿没有完成，她可不想就这样从世界上消失。

　　想着想着，杨梅希果迷迷糊糊地睡着了。不过，她睡得并不踏实，一直在做噩梦：一会儿梦见爸爸妈妈找到她，却不认识她了，说她不是他们的女儿；一会儿梦见明媚的双眼在流血，怎么也止不住；一会儿又梦见"段爷爷"把

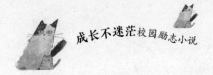

她扔下了山谷……她一惊，醒了过来，揉揉眼睛，天已经蒙蒙亮了，总算脱离了黑暗。她慢慢站起来，斜挎上她的小花布包。她觉得两腿发酸，差点跌倒。她打量了一下这个屋子，发现这是个杂物间，堆着乱七八糟的东西，墙壁斑驳不堪，到处脏兮兮的。

"快放我出去，放我出去——"杨梅希果使劲儿摇着门大声呼喊。因为现在是白天，她没那么害怕了。可是，她喊破了嗓子，外面也没人答应。

杨梅希果再次感到了绝望，此时的她，又饿又渴又无助。她多么希望现在的一切只是一个可怕的梦，梦醒之后，她就会出现在甜蜜园小学柠檬班的教室里上课，同桌嘻嘻派正在给她讲笑话呢。杨梅希果使劲儿掐了掐自己的胳膊——啊，痛！

这不是梦！

虎口脱险

"咔嚓——"门开了。

那个"段叔叔"拿着绳子进来，二话没说就把杨梅希果的手脚绑了起来，还将一团毛巾塞进杨梅希果的嘴里。杨梅希果挣扎着，发出"呜呜"的声音。"段叔叔"将杨梅希果拖到屋外，打开车子的后备厢，要把杨梅希果塞进去。杨梅希果使劲儿摇头，拼命扭动身子。"段叔叔"哪肯罢休，提起杨梅希果硬生生地把她塞进了后备厢里。就在"段叔叔"准备盖上后备厢的刹那，杨梅希果急中生智，身子用力一甩，将挎在身上的小花布包抛向车外……

"砰——""段叔叔"慌忙盖上了后备厢。他没注意到，杨梅希果的小花布包被卡在了后备厢外。

杨梅希果又陷入了黑暗之中，她能感觉车子在飞速前

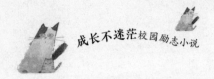

进，狭窄、闷热的后备厢里，杨梅希果难以动弹，她只能蜷缩着，非常难受。她轻轻挪了挪身子，感觉胸前有牵扯的感觉，她知道，她的小花布包被后备厢盖压住了，露在了车外。这个小花布包成了她的"救命稻草"，她希望有人能快点发现她。

车子不知开了多久，开到了哪里，杨梅希果只觉得头晕目眩，快支撑不住了。这时，车停了下来。杨梅希果隐隐约约听见"段叔叔"在讲电话，接着，他好像打开了车门，过了一会儿，就什么也听不见了。

时间又过去了很久，车子一直停着，没有动静。杨梅希果越发难受了，她感觉自己的呼吸越来越困难。她使出最后的力气，在后备厢里拼命地挣扎，等待着有人来救她……

"希果，希果——"迷迷糊糊中，杨梅希果似乎听见了爸爸的声音。她赶紧睁开眼睛，发现自己躺在医院的病床上，眼前果然是爸爸熟悉的脸。她"哇"的一声大哭起来，把爸爸紧紧抱住。

"没事了，希果，没事了。"爸爸轻轻拍着杨梅希果的背说。

原来，希果爸爸坐飞机抵达桂林后，就马不停蹄地赶到高铁站，想拦住杨梅希果。可是他并没有发现杨梅希果的影子。希果爸爸只好和桂林警方一起寻找杨梅希果，他们搜遍了大街小巷、各种旅店，找了整整一个晚上还是没有什么线索。

再说杨梅希果所住酒店的值班经理看见杨梅希果始终是一个人，总觉得事情有些蹊跷，便主动打电话报了警。于是，警察和希果爸爸赶到酒店，知道杨梅希果上了旅行团的车，又一路紧追旅行团。等他们追到象鼻山，发现旅行团的导游也在到处找杨梅希果。杨梅希果就这样消失了。

后来，有人说见过杨梅希果和一个老头从小路走了。警方分析，杨梅希果可能被拐骗了。他们赶紧展开了缜密的追查。他们从监控录像中发现，杨梅希果上了一辆黑色轿车，但黑色轿车出了高速路口后就不见了踪影。

正在线索中断的时候，希果爸爸接到了绑匪的电话，让他准备100万第二天交钱，希果爸爸一口答应没问题。

再说"段爷爷"和"段叔叔"根本就不是父子，"段爷爷"本名王富，"段叔叔"本名邱飞。王富和邱飞都是当地人，经常干些不法勾当。这一次，王富在象鼻山转悠，本想骗游客的钱，却意外发现杨梅希果是一个人来到桂林。他看杨梅希果生得白白净净，举止文雅，一看就是家境优

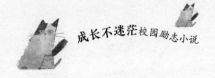

裕的孩子，于是便打电话给邱飞，两人立即起了绑架杨梅希果的歹心。

两人把杨梅希果带到郊外他们常碰头的一间破村舍里。然后，王富给希果爸爸打电话讨要赎金。

第二天，王富负责去拿赎金，邱飞则负责开车把杨梅希果带到更加偏僻的地方藏匿。两人说好，一旦拿到赎金，就把杨梅希果扔在那里。

可是，王富在拿赎金的时候，被早已布控好的警察逮了个正着。在警察的逼问下，王富不得不交代了绑架杨梅希果的事实，并且打电话给邱飞，说已经拿到了赎金，问他在哪里。狡猾的邱飞从王富电话中的语气察觉到了事情不妙，为了不暴露目标，他弃车而逃，把杨梅希果留在了车里。

好在一位村民发现了这辆可疑的黑色轿车。他本以为车里没人，但看见后备厢外一个花布包一直在颤动，这才赶紧叫人来撬开后备厢，救出了奄奄一息的杨梅希果。

警察说他们已经在通缉逃走的邱飞，同时他们也非常严厉地批评了杨梅希果，说她这样的行为简直是太危险了，好在大家发现得及时，否则后果不堪设想。

公主回家了

"你知道多少人担心你吗？希果，你已经 11 岁了，怎么还这么不懂事呢？你知道一个人离家出走的危险性吗？"希果爸爸虽然为女儿安然无恙松了口气，但也不得不皱着眉头教育女儿。

通过这段让人后怕的经历，杨梅希果也知道自己错了，她点着头说："爸爸，对不起，是我错了。"

希果爸爸的态度缓和了一些，说："你妈妈的眼睛都哭肿了，还有思雨老师和巴茨校长他们也急得团团转，爸爸因此还报了警……好在你现在平安无事，要是你有个什么闪失，我真不知该如何对你妈妈讲。"

杨梅希果真的没有想到自己找七色花这件事会造成这么大的影响，听爸爸这样一说，她仔细地想了想，觉得自

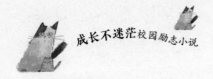

己的做法确实太自私、太冲动了。

"爸爸，真的对不起，我……我也是太想找到七色花了。"杨梅希果又流下了眼泪。

希果爸爸搂着她说："好了，爸爸不怪你了，以后别再做这样的傻事了，有什么事情一定要和爸爸妈妈商量。你又不是不知道，爸爸妈妈一直都很尊重你的决定。"

"我怕就算跟你们商量了，你们也不会相信七色花的存在。"杨梅希果小声说。

"那可不一定，爸爸已经给你找到七色花了！"

"真的吗？"杨梅希果立刻破涕为笑，看着爸爸说，"爸爸，你不会骗我吧？"

爸爸神秘地一笑说："我怎么会骗你呢？走吧，我们回家。"

"等等，爸爸，还有一件事情。"杨梅希果从小花布包里摸出了那张手机的当票。爸爸捏捏杨梅希果的鼻子说："你这丫头！走，我们去把手机赎回来。"

"希果，两天不见你，瞧，你都瘦了！"回到家里，希果妈妈抱着希果又哭又笑又责备。杨梅希果不住地对妈妈说对不起，因为她知道自己错了。

还是自己的家舒服啊！杨梅希果倒在自己的小床上

滚来滚去。桂林之行，对她来说就像一个跌宕起伏的梦，有甜蜜有惊险，还差点丢了性命。虽然最后没有找到七色花，但她觉得自己收获了很多。比如，她知道以后再不能凭一时冲动做事情了，否则会付出惨重的代价。

"希果，这是你妈妈给你熬的清热解毒汤，你先喝了它。"希果爸爸端着杯子进来。

"爸爸，好苦哦。"杨梅希果喝了一口，皱着眉头说。

"再苦也得喝，谁让你不听话呢？"爸爸命令道。

杨梅希果只好闭着眼睛将药"咕噜咕噜"灌进了肚子里，喝完后，爸爸立即往她嘴里塞了一颗橡皮糖。

"谢谢爸爸。"希果笑呵呵地摊开手问，"呵呵，老爸，我的七色花呢？"

爸爸在希果的手上轻轻拍了一下："你这么着急干什么，我说过会给你的就一定给你。"

"那好吧，我就耐心等着。"说实话，杨梅希果不太相信爸爸有七色花，到时候，看爸爸拿什么出来打圆场。

公主回家了。这一次远行，公主没有找到七色花，还上了恶魔的当，差点回不到城堡了。公主知道自己错了，以后再也不会冲动做事了。否则，公主对不起所有爱她

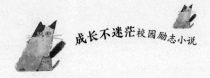
的人和她爱的人。国王说会给公主真正的七色花，是真的吗？

希希公主的博客——"公主的城堡"

操场上盛开七色花

　　这天晚上，杨梅希果睡了一个很舒服的觉，睡得很沉很沉，什么梦也没有做。可是早晨醒来，她却不愿意去上学了——她怕同学们笑话她，怕老师和校长批评她。

　　"不行，必须得去。"希果爸爸严厉地说，"怎么可以逃避呢？要勇于为自己所做的事情负责！"

　　杨梅希果只好硬着头皮朝学校走去。

　　"哇——希果，你回来啦，我好想你哦！"杨梅希果一到教室，诺小米就冲过来抱住她又蹦又跳。

　　很多同学也相继围了上来，大家都对杨梅希果表达着关心，谁也没有嘲笑她。这让杨梅希果很诧异：原来一切并不像自己想得那么糟糕。

　　嘻嘻派皮笑肉不笑地看着杨梅希果，冒出一句："没想

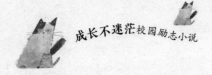

到你还能活着回来。"

"讨打！"杨梅希果在嘻嘻派的背上狠狠地揍了一拳。她想：如果嘻嘻派知道我这次去桂林差点丢了性命，一定不会这么说的。

"公主大人息怒，王子殿下开玩笑而已。"嘻嘻派捂着嘴巴笑。他既然是"小飞侠"，自然看过杨梅希果博客里所有的内容，自然知道"王子"就是他本人了。

杨梅希果的脸"唰"一下红了，她连忙用书挡住自己的脸，装作看书来掩饰自己的羞涩。可恶的嘻嘻派居然拿走杨梅希果的书说："喂，说真的，你去桂林，我还挺担心的，怕你遇到不测。还有，旁边这个座位空空的，我还真不习惯呢。"

杨梅希果甜甜地笑了，问嘻嘻派："你怎么知道我博客的地址呢？"

"咳，我是谁呀，有什么是我不知道的！上信息技术课的时候，看你上网鬼鬼祟祟的，我就知道你有秘密。于是等你走后，我一调电脑的历史记录，就发现你的博客了。呵呵，我本想扮成'小飞侠'来捉弄捉弄你，谁知道你还要求见面，让我不知该怎么办。"

杨梅希果哈哈大笑："我还以为'小飞侠'是何方神圣

呢，没想到是你这个家伙。"

上课了，思雨老师走进教室，她像往常一样用美丽的眼睛环视着四周。杨梅希果埋下头，她真怕接触到思雨老师的眼神。

思雨老师说："同学们，这节语文课我们有一项特别的任务，就是寻找七色花。"

啊？杨梅希果猛地抬起头，心想：怎么可能？我没听错吧，寻找七色花？她再看看卓宇洋和其他同学，大家都没有议论，更不觉得惊奇。杨梅希果更加迷惑了。她碰了碰嘻嘻派的胳膊肘问："这是怎么回事啊？"

嘻嘻派眨眨眼睛说："别着急，很快你就知道了。"

"今天寻找七色花的使者是杨梅希果同学，大家掌声鼓励！"

班长卓宇洋起身带头鼓掌，教室里顿时掌声如潮。

"下面全体起立，合唱一首《七色花之歌》。"

杨梅希果茫然地跟着大家站起来，她不知道发生了什么，更不会唱什么《七色花之歌》。她的耳畔传来了同学们整齐而优美的歌声：

你说你最爱七色花，

因为你的梦想就是它，

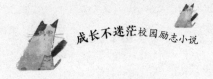

多么美丽的花，

闪着七色的光芒。

当花儿消失的时候，

当画面定格的时候，

多么娇嫩的花，

却躲不过风吹雨打。

带着编织的梦想，

为了寻找这种花，

你匆匆地走掉，

留给我们多少担心和牵挂。

这时，"甜蜜使者"秋芊拿着一个信封走到杨梅希果的身边说："杨梅希果，给，开始你的使命吧。时间为20分钟。我们等着你。"说完，秋芊在杨梅希果的额头上贴了一朵彩色的小花。

杨梅希果打开信封，取出一张纸条，纸条上写着：七色花的使者：班级的图书角下有个盒子，等着你去打开——

杨梅希果望着同学们——大家的眼睛里都饱含着期待，仿佛在说："去吧，杨梅希果，去完成使命吧。我们等着你。"

杨梅希果跑向图书角，在图书角的下面真的找出了一个纸盒子。她好奇地打开盒子，盒子里面装着两张纸条，一张是红色的，一张是白色的。红色的纸条上写着一个大大的"美"字，白色的纸条上写着一行小字：恭喜你完成了第一项使命，接下来请你拿着红色的纸条去学校餐厅，寻找第二个盒子。

杨梅希果觉得有意思极了——这样寻找七色花的过程比去桂林要好玩多了。

到了餐厅，杨梅希果顺着座位寻找，很快发现了第二个盒子。她打开一看，又是两张纸条，一张是蓝色的，一张是白色的。蓝色的那张纸条上写着一个大大的"善"字，白色的纸条上也写着一行小字：恭喜你完成了第二项使命，请你拿好红色与蓝色的纸条去舞蹈教室寻找第三个盒子。

杨梅希果兴致勃勃地朝舞蹈教室跑去，强烈的好奇心驱使着她，让她难以平静。此时的舞蹈教室里面空无一人，杨梅希果找啊找，终于在鞋柜里发现了第三个盒子。同样有两张纸条，杨梅希果按照要求拿了那张黄色的纸条，又向下一个目标——图书馆奔去。

……

七色花使者：恭喜你已经完成了第六项使命，下面请你到操场上的篮球架下找寻最后一个盒子吧，请你一定要

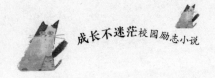

抓紧时间，若是耽误了时间，你前面的心血都将白费，从此再也找不到七色花。

杨梅希果看看手表，还有 5 分钟。想到马上就可以完成使命了，她加快了步伐，满头大汗地直奔操场。

"哎哟，哎哟……"一个低年级的小女孩流着眼泪坐在操场的台阶下叫唤，好像是跌倒了。

篮球架就在不远处，杨梅希果眼看着马上就要完成任务了，她多么期待七色花啊！她曾无数次想象七色花一定是闪闪发光的，一定漂亮极了。

"哎哟，哎哟……"可是小女孩的哭声让杨梅希果的脚步无法动弹。她咬咬牙跑到小女孩身边问："小妹妹，你怎么了？"

"我……我的脚好像扭伤了，怎么也走不动了，呜呜……好痛！"小女孩痛苦地抹着眼泪，那样子可怜极了。杨梅希果不由得想起了她一个人在桂林火车站丢了旅行包的情景——也是这样孤单无助地坐在台阶上。

"这样吧，我背你去医务室。"杨梅希果不由分说地把小女孩背了起来，一步一步艰难地迈向三楼的医务室。

校医仔细检查了小女孩的脚，笑着说没什么大碍，休息一下就好了。杨梅希果这才想起了她的使命，惊呼："糟

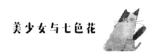

糕,我得走了!"

时间已经过去了 10 分钟,杨梅希果气喘吁吁地跑到操场,冲向篮球架。

还好,那个盒子还在。可是,不知为什么,杨梅希果却不敢走过去打开它。因为她已经耽误了时间,她怕等待自己的还是失望。这时她突然想起了爸爸的话——怎么可以逃避呢? 要勇于为自己所做的事情负责!

是的,我刚才所做的并不是一件坏事啊,我为什么胆怯? 为什么逃避呢? 想到这里,杨梅希果鼓起勇气走过去,打开了最后一个盒子。盒子里同样有两张纸条,一张是紫色的,一张是白色的。紫色的纸条上面写着一个大大的"心"字。白色的纸条上写着:恭喜你已经完成了所有的使命,请你将七种颜色的纸条拼成一句话,你将会明白一切。

杨梅希果连忙将手中七张彩色的纸条拼成了一句话,原来是:心中藏着真善美。

那山上开满鲜花是你多么渴望的美啊,

你看那漫山遍野,你还觉得孤单吗?

你听有人在唱那首你最爱的歌谣啊,

尘世间最美的花,就在我们善良的心上。

……

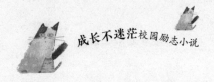

身后传来了大家的歌声，杨梅希果回过头，看见每个同学的手中都捧着一束鲜花朝这边走来，就连思雨老师和巴茨校长的手中也有一束鲜艳的花朵。五颜六色的花儿，犹如彩色的海浪涌向杨梅希果，比梦中的七色花还要炫目，还要美丽。

杨梅希果的视线模糊了，这一刻，她终于明白了大家的良苦用心。原来老师和同学们费了这么多心思，就是为了告诉她：神奇的七色花就绽放在每颗善良的心中。

"姐姐，刚才谢谢你！是大家让我来考验你的。"刚才"受伤"的小妹妹也蹦蹦跳跳地跑来，将一束鲜花塞进杨梅希果的怀中，甜甜地笑了。

小妹妹刚才还哭得像个泪人儿，这会儿却笑得这么开心，原来她根本没扭伤脚，只不过是"演戏"，可见她小小年纪，"演技"还挺不错的。

杨梅希果问嘻嘻派："如果我刚才没有送她去医务室，又会怎么样呢？"

嘻嘻派说："最后那个盒子是你送小妹妹去医务室后，我们才去放下的。如果你没有送小妹妹去医务室，你就找不到最后那个盒子，也就无法完成使命。不过，我对你很有信心，我相信你一定会先帮助小妹妹的。"

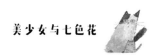

　　"原来是这样啊。"杨梅希果说，"真有意思！这个活动是谁策划出来的呀？"

　　嘻嘻派一仰头，得意地说："当然是本王子啦！不过也有大家的功劳，那首歌是秋芊改编的，秋芊厉害吧？"

　　"厉害！编得真好听。"杨梅希果轻轻地哼了起来，她终于明白为什么秋芊那么受大家欢迎了——秋芊的心中一直就藏着真善美，她是当之无愧的"甜蜜使者"。杨梅希果想到以前捉弄秋芊的事情，感到十分愧疚。

我们的友谊不必说抱歉

《七色花之歌》不仅在柠檬班流行开了，还在全校传唱开了，大家都特别喜欢这首歌。巴茨校长还说让学校的"甜蜜使者"将这首歌带到友好学校去，让更多的孩子们知道尘世间最美的花其实就盛开在我们善良的心中。

在寻找七色花的活动之后，杨梅希果很想和秋芊和好，可是她又一直没有找到合适的机会——每一次面对秋芊，她都不知道该怎么开口。倒是秋芊，总是对杨梅希果甜甜一笑，似乎什么事情都没有发生过。

机会终于来了。这个周末，嘻嘻派过生日，他邀请了好多好朋友去他家，其中，当然包括杨梅希果和秋芊。

杨梅希果觉得这是一个千载难逢的好机会，于是她拉着诺小米陪她去买礼物。杨梅希果首先为嘻嘻派选择了一

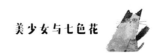

本侦探小说，这是嘻嘻派最爱看的书，他一定会喜欢的。接着杨梅希果又问诺小米："秋芊喜欢什么呢？"

"不是嘻嘻派过生日吗？你为什么问秋芊喜欢什么？"诺小米很是不解。杨梅希果告诉诺小米，她想和秋芊和好。

"真的吗？那真是太好了！"诺小米拍手叫道。本来诺小米也有心事不敢告诉杨梅希果——在选举"甜蜜使者"以后，诺小米早已经对秋芊说了对不起，并且把偷走仙女花环的事也告诉了秋芊。秋芊并没有埋怨诺小米，还说："没关系，谁都有犯错的时候，朋友之间只要坦诚相对，一切矛盾都可以化解。"

现在，看到杨梅希果要主动和秋芊和好，诺小米也放下了压在心中的包袱。

诺小米说："希果，我觉得我们不如扎一顶漂亮的花环送给秋芊，表示我们的歉意。"

杨梅希果觉得这真是一个好主意。上一次表演课本剧，要不是杨梅希果怂恿诺小米偷走了秋芊的花环，说不定秋芊可以表演得更好。送秋芊一顶花环，正好可以弥补那一次的过失。

于是，杨梅希果和诺小米买了做花环的工具和各种材料，还特意买了黄玫瑰——卖花的阿姨说黄玫瑰的花语是

"道歉"，这最能表达杨梅希果和诺小米的心意。

周末那一天，杨梅希果和诺小米首先去了秋芊家的楼下等秋芊。当看到秋芊穿着表演时的那条白纱裙下楼时，杨梅希果立即把这顶美丽的、散发着清香的花环戴在了秋芊的头上。诺小米赶紧用手机拍下了这动人的一瞬间。秋芊抚摸着花环说："怪不得诺小米非要让我穿这条裙子，原来你们是想让我再做一次仙女啊。"

"哈哈，那当然，今天去参加牧童的生日会，你一定要以仙女的身份出现哦。"诺小米说。

三人开开心心地来到嘻嘻派的家里时，好多同学都已经到了。看到秋芊的打扮，大家都惊呼起来："哇，仙女下凡了！"

嘻嘻派笑着说："欢迎仙女大驾光临！"

"祝你生日快乐，祝你生日快乐，祝小王子生日快乐，祝你生日快乐……"伴随着大家的歌声，生日蛋糕被推了进来。曾普普在蛋糕上插上了 11 支蜡烛，可是嘻嘻派连连说："不够，不够。"接着，他自己又插上了 7 支蜡烛。

"嘻嘻派，你不是只有 11 岁吗？难道你要把 18 岁的生日一起过了？"

"我知道我知道，嘻嘻派谎报了年龄，他的实际年龄已

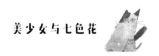

经 18 岁了。"

"那嘻嘻派就是老顽童啦。"

嘻嘻派一本正经地说："你们都说错了。我插上 18 支蜡烛，是因为在场的同学，加上我的帅哥爸和美女妈一共是 18 个人，一支蜡烛代表一个心愿，待会儿我们要一起许愿一起吹蜡烛，那样大家的愿望都可以实现了。"

"好呀——"大家为嘻嘻派的这个提议鼓掌欢呼。

于是，在场的每一个人都静静地许下了自己的心愿。许完愿后，嘻嘻派喊："一二三！"大家一起吹灭了 18 支蜡烛。

这时，杨梅希果说话了："今天是个特别的日子——嘻哈小王子的生日，我们都非常开心。我也要借这个机会向在场的每一个同学说声对不起。我之前冲动地离家出走，害大家为我担心了。我还要特别向一个人说对不起，我以前伤害过她。"说到这里，杨梅希果特意看着秋芊，诚恳地说，"秋芊，请你接受我的道歉。之前，我故意拿错剧本给你；故意让诺小米偷走了你的花环；还故意让大家不投票给你……你能原谅我，和我继续做好朋友吗？"

屋子里鸦雀无声，同学们都没想到一向骄傲的杨梅希果居然会选择在这种场合勇敢地承认自己的错误，就连嘻

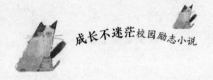

嘻派也无比惊讶地看着杨梅希果。

秋芊似乎显得比杨梅希果还要紧张，她的脸红了，除了点头，一时间也不知道说什么好。其实秋芊早已经从诺小米口中知道了杨梅希果所做的这些事情，当时，她也非常生气。她回家把这些事告诉了爸爸。爸爸却对她说："在人生的道路上，我们总会遇到许多的曲折。灿烂的阳光下，也有阴暗的角落，风和日丽的天空，也会有乌云飘来的时候。在人与人相处的过程中，也会遇到形形色色的人：或善解人意、知书达理；或心胸狭窄、蛮不讲理；或愤世嫉俗、感情用事；或宽容大度、冷静沉着……每个人都会犯错误，哪怕是最亲密的朋友，也可能有互相伤害的时候。但只要你有一颗宽容的心，学会包容别人，总有一天，别人也会意识到自己的错误。宽容是解决问题的最好途径。因为你的真情能融化别人心头的坚冰，你的让步会给双方带来更广阔的空间。宽容会让你拥有更多的朋友，你的朋友也会更加理解你、信任你。"

秋芊觉得爸爸的话很有道理，于是，她从心里不再埋怨杨梅希果了。不仅如此，在思雨老师宣布要为杨梅希果策划一次寻找七色花的活动时，秋芊还主动为这次活动改编了一首主题歌——《七色花之歌》。

　　此时，杨梅希果当众道歉，大家都在注视着秋芊，等待她的表态。秋芊平静下来，对杨梅希果说："希果，如果你真的把我当好朋友的话，就不必再说抱歉。今天早晨，你给我戴上这顶美丽的花环时，我就已经感受到了你的诚意。以前的一切都让它过去吧。"

　　"好！别搞得这么煽情，好朋友之间不需要说抱歉！快切蛋糕吧，我的口水都流出来了。"嘻嘻派说完，趁大家不注意，一手抓了一团奶油分别抹在了杨梅希果和秋芊的脸上，然后他把杨梅希果和秋芊拉到一块儿，大声对大家说："抓紧拍照，发在朋友圈里！"

　　"咔嚓咔嚓……"同学们恍然大悟，纷纷拿起手机对准杨梅希果和秋芊抓拍起来。

　　杨梅希果和秋芊齐心协力把奶油也抹在了嘻嘻派的脸上。这时，大家都加入了"奶油大战"中，现场一片混乱。嘻嘻派的老爸老妈看着一帮孩子嬉闹，赶紧在旁边用手机给他们录下了这段难忘的时光。

　　公主和小人鱼和好了！公主好开心！以前是公主的心胸太狭隘，现在，公主明白了，好朋友之间应该宽容相待，就像小人鱼说的那样：好朋友之间不需要说抱歉。

　　　　　　　　　希希公主的博客——"公主的城堡"

明媚失踪了

从桂林回来以后，杨梅希果有一件事情一直搁在心上，那就是明媚的眼睛。本来，杨梅希果以为找到了七色花，就能帮助明媚治好眼睛，可是现在，她没有找到七色花，她必须把事实告诉明媚。

这个星期六的下午，杨梅希果约上诺小米、嘻嘻派和秋芊一起去云崖山公园看明媚。

老时间老地点，可是明媚却不在那棵大树下。以前，明媚说过，无论杨梅希果他们来不来云崖山，她都会准时在这里吹笛子等大家。可是，今天，明媚却没有出现。

孩子们又等了好久，还是不见明媚的身影。

"都怪我，希果不在，我也没有定时来看明媚。"诺小米开始埋怨自己。

"别着急，我们再等一等，我也很想见到你们所说的大眼睛明媚呢。"秋芊是第一次来这里，来之前，也听杨梅希果介绍了明媚的大概情况，她对这个小姑娘充满了好奇和同情。所以，她觉得多等等也没有关系。

可嘻嘻派总觉得明媚没有出现很奇怪——明媚的眼睛看不见，唯一的乐趣就是在山上吹笛子，她能去哪里呢？

已经黄昏了，大家还是不见明媚的身影。杨梅希果有些着急了。她问嘻嘻派："你知道明媚的家在什么地方吗？"

嘻嘻派说："我怎么会知道？每一次，都是她妈妈上山来接她回去，我们只知道她的家在云崖山公园下，可是山下那么多人家，去哪里找呢？"

"我们去试一试吧，说不定能找到她家呢。"秋芊大胆提议，"毕竟明媚是有特殊情况的孩子，一定有很多人认识她的。"

"行。"于是，孩子们下了云崖山，一起去寻找明媚的家。

"明媚，明媚……"孩子们在居民区大声呼喊，但是大家都用奇怪的眼神看着他们，并没有人说认识明媚。

见呼喊没有用，孩子们只好分头询问。

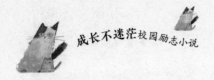

"你认识一个叫明媚的小女孩吗？"

"请问明媚的家在什么地方？"

……

人们都摇摇头，表示并不认识。

爱分析问题的嘻嘻派换了一种方式来询问。他问一个过路的老婆婆："婆婆，您知道这附近有一个小女孩，眼睛大大的，但是看不见吗？"

婆婆想了想说："你们是说方家的女儿方倩莹吗？"

"方倩莹？"嘻嘻派有些纳闷儿，继续描述，"她10岁，眼睛看不见。她小时候能看见，后来得了一场重病就失明了。"

"是的是的。"婆婆连连点头道，"这小女孩很乖巧、很聪明，可就是眼睛看不见了，命苦啊。我带你们去她家吧。"

"谢谢婆婆！"孩子们跟着这位老婆婆朝一家居民楼走去。

一路上，杨梅希果悄悄问嘻嘻派："我们要找的人叫明媚，但是婆婆说的这个人叫方倩莹，会不会搞错了啊？"

嘻嘻派说："说不定明媚是她的化名呢。你看你在网上还叫自己希希公主呢。凭我嘻哈神探的第一直觉，方倩莹

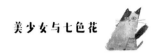

和明媚应该是同一个人。你相信我！"

他们终于来到了方家门前，一会儿喊"方倩莹"，一会儿又喊"明媚"，叫了很久的门，都没有人回应。

老婆婆也奇怪地说："倩莹的爸爸在外地打工挣钱给女儿治眼睛，倩莹的妈妈在家照顾女儿。平时妈妈都在家的，怎么今天不在呢？"

究竟老婆婆所说的方倩莹是不是就是明媚？明媚究竟去了哪里？今天发生的一切让杨梅希果不解。

小丸子失踪了，公主很担心。小丸子，你在哪里？希望你一切都好，虽然公主没有为你找到七色花，但公主、王子、灰姑娘和小人鱼都决定，一定会想办法帮助你治好眼睛的，你如果能听到公主的心声就赶紧出现吧。

希希公主的博客——"公主的城堡"

爸爸的七色花

这天下午放学后，杨梅希果、诺小米和秋芊一块儿走出校门，发现希果爸爸正在校门口等待着。希果爸爸说："希果，我现在要带你去看七色花。"

"爸爸，这是真的吗？"杨梅希果觉得爸爸的笑容有些神秘。

"当然，也欢迎你的朋友一块儿去！"希果爸爸望着秋芊和诺小米说。

"好啊好啊！"诺小米和秋芊高兴地说。

三个好朋友一同上了希果爸爸的车，正在这时，一个身影飞奔而来，原来是嘻嘻派，他不客气地跳上车说："叔叔，您带她们去哪里？我也要去！"

"哈哈，行，一起去。"希果爸爸爽快地回答。

"嘻嘻派，你跟踪我们吗？"杨梅希果问。

嘻嘻派一甩头说："我是嘻哈侦探，你们的一举一动都逃不过我的眼睛。"

杨梅希果暗暗地想：同学们送我的七色花，我已经知道是什么样的了，老爸送我的七色花又会是什么样的呢？

车子在一个花店门口停下，爸爸下车买了一束素净淡雅的马蹄莲，塞进杨梅希果的怀里。

"老爸，你不会告诉我这个就是七色花吧？"杨梅希果抱着马蹄莲，张大嘴巴。

爸爸摇摇头："当然不是了，待会儿你们就会明白了。"

车子一路开到了医院。

"到这儿来寻找七色花？"杨梅希果和好朋友们一头雾水地跟着希果爸爸走进医院。

推开病房的门，大家一下子愣住了。明媚坐在病床上，细细的头发垂在肩上，大大的眼睛望着前方。她的妈妈正在给她讲故事。

"明媚！"大家激动地跑到病床前。杨梅希果冲在最前面，一把抓住了明媚的手。

"是希果吗？是希果吗？"明媚激动起来，"你回来就好了，你回来就好了！你没遇到什么危险吧？真把我急坏

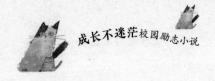

了。都怪我不好，若不是为了我的眼睛，你也不会去那么远寻找七色花了。"

杨梅希果连连摇头道："不是的，不是的，你别这样说，是我自己一时冲动。"

"是马蹄莲吗？"明媚触到了杨梅希果放在身边的花，轻轻地抚摸着花瓣说，"对，是马蹄莲，我最喜欢的花。它代表着纯洁的友爱，谢谢你啊，希果。"

"可是，明媚，你怎么会在医院里呢？"诺小米不解地问。

"这都要感谢杨先生。"明媚妈妈在一旁说，"若不是杨先生，我家明媚还不知要等到什么时候才能重见光明呢？"

原来希果爸爸那天到云崖山上没找到杨梅希果，却听说了明媚的事情，还得知女儿去寻找七色花的原因之一就是为了帮助明媚。希果爸爸便决定要资助明媚做角膜移植手术。

杨梅希果这才明白，原来明媚不是失踪，而是到医院来准备做手术。原来爸爸早就在暗中安排好了一切，只是一直没有告诉自己而已。

"爸爸，谢谢你。"杨梅希果抱着爸爸，感激地说。

"对了，明媚，为了证实我的推测是正确的，你诚实地

告诉我，你的真名是不是叫方倩莹？"嘻嘻派严肃地问。

明媚嘻嘻一笑，点头说："是的，方倩莹才是我的真名。我经常听电视里说很多人上网都有自己的网名，可惜我不能上网，但我也给自己起了个好听的别名叫'明媚'，我想总有一天我能重新看见明媚的阳光。"

嘻嘻派得意地说："你们瞧，我就说我嘻哈神探的预感是 99.9% 的准确吧！"

"那一天很快就会来到的。"这时，一直在旁边沉默的秋芊走到明媚的身边做起了自我介绍，"明媚，我叫秋芊，也是杨梅希果他们的好朋友。今天，我们是第一次见面，认识你真好！"

"秋芊，秋芊……"明媚小声念叨着这个名字，突然说，"哦，我知道了，秋芊也是你的网名，对不对？你的真名叫什么呢？"

"哈哈哈……"大家都笑起来。

杨梅希果说："明媚，秋芊就是她的真名。她是我们学校的'甜蜜使者'，她还编了一首《七色花之歌》，现在在我们学校很流行呢。"

"是吗？能唱给我听听吗？"明媚充满期待地说。

那山上开满鲜花是你多么渴望的美啊，

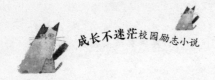

你看那漫山遍野，你还觉得孤单吗？

你听那有人在唱那首你最爱的歌谣啊，

尘世间最美的花，就在我们善良的心上。

······

病房里响起了孩子们甜美的歌声。

听完《七色花之歌》后，明媚拍着手说："等我出院了，我也要学会吹这首歌。在云崖山上，我要把这首歌吹给每一个关心我的朋友听。"

"第一个要吹给我和诺小米听，因为是我们首先认识你的。"杨梅希果说。

"错！"嘻嘻派连忙否定道，"其实，首先认识明媚的人是我。"

"啊？不可能！"杨梅希果觉得嘻嘻派什么都要抢功，真是太过分了。

嘻嘻派不慌不忙地说："杨梅，你仔细想一想，是谁引你去云崖山公园的？"

杨梅希果认真回忆后，恍然大悟说："是'小飞侠'。"

嘻嘻派得意地说："对啊。是我在云崖山公园玩，听见了优美的笛声，发现了明媚。我故意折了一架纸飞机飞在她面前，看见她无动于衷，于是，我走到她身边，才发现

她眼睛看不见。我很想接近她，又怕她认为我是坏男生不理我。所以我就以找七色花为诱饵引你上山去认识明媚的，我再'碰巧'出现，就顺理成章地成了明媚的朋友。嘻嘻，我这一招儿高明吧？"

"哈哈，不管是谁先认识我，你们都是我的好朋友。"明媚说，"我猜杨叔叔一定高大英俊，希果一定长得非常漂亮，嘻嘻派肯定比明星还帅，秋芊像仙女，诺小米像天使……我明天就要做手术了，做完手术后我就能看见你们是什么模样了，真的好期待哦。今天，就让我再吹一首曲子给你们听吧。"

"好啊！好啊！"大家拍手欢迎。

笛声悠悠，像月光下静静流淌的小河，像春雨滋润万物的声响，像花瓣轻轻飘落在清澈的湖面，像轻风的手抚过一片片麦田……在病房里回荡。

走出病房，杨梅希果一直没有说话。爸爸将手扶在希果的肩上，问："希果，爸爸给你的七色花，你满意吗？"

杨梅希果含着泪水说："爸爸，谢谢您，其实我早已经知道，神奇的七色花就绽放在每颗善良的心里，对吗，爸爸？"

"是的，希果。真正的七色花不需要我们刻意去寻找，

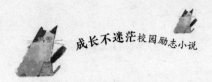

因为它一直就在我们的心中。"爸爸轻轻地说。

国王说公主长大了。是的，公主不会再像以前那样做冲动的傻事了，也不会再让城堡里的每一个人为她担心了。

国王，谢谢你帮公主完成了最大的心愿。

小丸子，等你眼睛彻底治好后，公主还要去医院看你，这样当你睁开眼睛，第一眼就可以看见公主了。告诉你，公主的网名叫"希希公主"，公主真的很漂亮哦。哈哈！

希希公主的博客——"公主的城堡"

愿你从书中找到最真的自我

姚满华（全国优秀教师、全国优秀中队辅导员）

　　一口气读完"成长不迷茫校园励志小说"系列图书，作者饶雪莉创造了一个和谐美好、温馨甜蜜、充满正能量的"甜蜜园小学"，故事就发生在甜蜜园小学里面的老师和学生中间。甜蜜园小学，正如《窗边的小豆豆》中的巴学园，总有一股神奇的魔力，让人有无尽的向往，产生强烈的归属感和安全感。可以说，每一个孩子心中，都有一个巴学园，也都有一个甜蜜园，都需要一块净土来安放自己童年的憧憬。这里，没有高高在上的校长，没有严肃冰冷的教导主任，没有唠叨古板的班主任，甚至没有条条框框的校规班纪，但真、善、美却存于每一个人的心中。而饶雪莉，正是以她独特的视角和巧妙的构思，去开启读者的内心世界，让读者一步一步去体察书中人物的心境，去感受成长的滋味。

　　卓宇洋、杨梅希果、嘻嘻派、林思睫、朱丽叶……一个个灵动鲜活的人物，就这样不知不觉走入你的内心，悄然叩开你的心门，让你忍不住为他们担心、为他们喝彩。这些角色，个性鲜明、真实生动，就像读者身边的小伙伴，或者是读者自己一样。饶雪莉把孩子们想说而不敢说的话、想做而不能做的事，借助书中人物，真正敢说敢做。每每读到此处，孩子们都会感同身受，大呼畅快！更值得一提的是，书中塑造的家长——林思睫的爸爸妈妈，陈果的爸爸妈妈，朱丽叶的养父养母、亲生父亲等人物，不仅推动了故事情节的发展，还能给更多家长朋友以警醒。这样的警醒绝不是来自于空泛的道德绑架，甚至找不到一处说教的痕迹，却随着不同孩子故事的发展，生动地表达了出来。每一个孩子就是一个家庭的缩影，一个个不同的家庭，在孩子成长过程中，必然打下了深深的烙印。可以说，"成长不迷茫校园励志小说"系列图书也同样是一套适合家长阅读，能够解决亲子困扰的好书。

这套校园小说，有四本是运用日记体的形式记述的。这样的方式，打破了传统小说的情节模式，主人公以内心独白的方式记录着自己成长过程中的喜怒哀乐，将小说的公共性与日记的私密性融为一体，从公共表达空间进入私密表达空间。而小读者慢慢窥探书中人物内心世界的过程就是一点点释放自己的情绪，打开自己的心门，找到认同和共鸣的过程。这样的体验，让小读者带着一点小兴奋、小激动，能很容易进入到书本中，从而与书中的人物同呼吸、共命运。

但同时，这四本却又不是独立的日记，它们彼此之间有联系、有关照、有呼应，互为线索和补充，共同讲述四个小伙伴成长过程中遇到的相同的事件。小读者可以通过不同性格的四个小伙伴，在面对同一事件时所处的不同角度、采取的不同态度和方法来进行对比阅读，从而对照自己，引发思考。古人云"吾日三省吾身"，希望小读者可以在这种有意或无意的自省中，一次一次地同自己对话，审视自己的内心，找到最本真的自我。

最后，感谢作者饶雪莉老师一如既往对孩子、对家长们的倾力付出！在冬夜读完您的书，温暖如春！

好像花儿开在春风里

杨卫平（全国著名班主任、全国优秀语文教师）

有没有一所这样的小学，那里的校长很善良，免费接收外地失学儿童来学校就读；那里的老师很开通，为解开学生的心结，他现身说法，说出自己童年时代的秘密；那里的学生很天真，很坚定，相信"傻瓜的世界，也会有美丽童话"……

我可以非常确定地说，有的。这样的学校，在著名儿童文学作家饶雪莉"成长不迷茫校园励志小说"里，也在饶雪莉的生活中。饶雪莉说，她最大的梦想是能建造一座四季芬芳的甜蜜园小学，并向所有家长和孩子发出邀请卡。

在饶雪莉的"甜蜜园"里，最吸引人的还是孩子。

在橘子班，有个爱哭的朱丽叶。她是一个弃儿，天生独肾，时常住院，她被病痛折磨，也为身世烦恼。她爱哭、爱忧伤，敏感得让人怜惜。她善良、温厚，和好闺蜜思睫一起，发动更多人帮助小病友蜡梅。她有难以排解的心事，更有积极向上、热爱班级、珍惜友谊的心。她不是一个完美的女生，却是一个美好的孩子。美好的孩子，运气都不会差。生父为她捐肾，养父母爱她如初，老师、同学给予她温暖，她得到了爱，告别眼泪，成为一颗灿烂的"阳光星"。

朱丽叶的同桌，不是大名鼎鼎的罗密欧，而是傻萌傻萌的温西栋。他与范茂源是"温饭二人组"，从他们的组合名称就可以看出，这是一对"活宝"，他们会处处碰壁，状况百出——"温饭"者，"稳翻"也。可是，孩童的世界，就该是喜乐与荒唐交织，超越常理的啊。饶雪莉对这样的孩子进行了极其生动的塑造。温西栋是一个"小傻瓜"，却也真心不假，他喜欢朱丽叶，虽然她不够漂亮，不够优秀，不够健康，可"小傻瓜"是有"火眼金睛"的，他透过现象看到了本质，他说："虽然她不是漂亮女生，但是她比许多漂亮女生的心灵都美好。"这颗"勇气星"，令功利世界里的大人汗颜。

在柠檬班，有一颗"幸运星"——卓宇洋。他是让众人羡慕的大班长，有想让所有人都崇拜他的虚荣心，也有爸爸蹲监狱这样不愿提及的痛，还有流着泪的钢琴梦，然而他总是如此幸运，遇见了教他弹钢琴的麦乐哥哥，遇见了默默帮助他的同桌秋芊和思雨老师，遇见了和他一起看流星雨的同学们——最终，幸运的孩子有了幸福的泪光，告别了大班长的烦恼。

饶雪莉是一位知名作家，她也永远是个孩子。她时而化身朱丽叶，时而化身温西栋……她有时是女孩，有时是男孩，她像一个文字精灵，在她笔下的人物之间变幻，毫无违和感。她塑造的人物形象鲜明，故事情节跌宕起伏，令人爱不释手。她的文字，好像花儿开在春风里。而这一切，都是源于她对孩子的了解与爱。我读她的文字，感觉心灵得到了熏陶与净化，让既是老师又是家长的我深刻地认识到：教育是以理解和关注为基础的。每个孩子在成长中都会遇到烦恼，有烦恼并不可怕，只要孩子敢于以实际行动去解决烦恼，自然就会收获快乐。

　　读完这套校园文学作品，我情不自禁开始反思自己的教育教学，我要求自己成为终身成长的老师，希望我的学生们也能像花儿一样绽放在春天里。

成长的路上，我们从不孤单

林幸谊（广东省名班主任、佛山市最美教师）

致少年们：

随着饶雪莉老师的"成长不迷茫校园励志小说"系列图书的出版，那一群个性鲜明又生动真实的小少年，将走到新一代少年儿童的眼前。

说到班长卓宇洋，就是我们身边说一不二、骄傲寂寞的"老大"；若论敢做敢想的学霸，就会联想到林思睫……只是当我们身处同龄伙伴群中时，或许也会觉得自己并不是一颗闪烁的星星，而更像勇敢踏过成长的荆途，才最终蜕变成一个被温暖包围的快乐女生——朱丽叶；又或像成绩平平而又善良到会逆来顺受的温西栋，他最终也因为敢于挑战自己，坚持独立的思考与追求，从而得到大家的支持，竞选成功，当上了班里的学习委员……

上天成就每一个人的方式都是不一样的。

同时上天赋予每一位少年的成长之路，都充满着既公平又丰富的选择。

饶老师的这一套书，悉心为一群成长中的少年打造了一个仿佛真实存在的"甜蜜园小学"，当你入迷地透过文字走进故事里，你会看见身边熟悉的每一个你我他，仿佛那些情节是属于故事主人公的，又仿佛那些情节是单独只属于我们自己的。当我们这样想的时候，就知道其实于成长的路，我们一直都不孤单。

我们会像温西栋一样，尽管在学校不是明星，但是在自己的成长路上却一直都是勇者。当他在杨梅希果的鼓舞下，鼓起勇气参加校园艺术人才大赛那一刻起，他就已经战胜了以往的自我！由此他在往后的日子里，会敢于立下成为一个医生的志向，会敢于竞选班里新一学期的学习委员。

温西栋的这些日记，还原了一个平凡的小男生如何在人群中找到自己的光彩的故事。在最后一篇日记中，温西栋决定把他的这本日记送给他最好的朋友朱丽叶，与此同时，他要告诉朱丽叶一句关于成长的"魔咒"——至于"魔咒"是什么，那就要你们到故事里慢慢去读，去体会，去寻找了。

致家长们：

当我们拿起这一套书，打算买回去给孩子看，又或者是孩子们要求我们购买这一套书的时候，不知道您是否也曾心血来潮，翻看过其中的若干篇章，去了解一下饶雪莉老师笔下的这组青少年的群像。如果有，你可能会发现，那些或者机灵，或者柔顺，或者幽默，或者内向的小孩，其实跟我们自己的小时候并没有很多的不一样。

对每一代人来说，成长都有独一无二的不可复制性，但是不可否认的是，每一代少年在成长路上的犹豫、进退、喜悦、忧愁，又是如此的相似。

我们是不是也正因如此，而喜欢对孩子们苦口婆心地给予一个"过来人"的建议，又以一个"爸爸妈妈都是为了你好"的角度，去为孩子做出一套完整的成长计划——这里便包含了作为父母的我们所倾注的多少心血与冀望，乃至牺牲！

当然，我们当中也有越来越多的家长朋友，开始意识到一个无法回避的问题，那就是成长的路，尤其是那些我们的父母从来没有替我们走过的路，我们当今似乎也并不能替我们的孩子去走。而且那一刹那的顿悟，会告诉我们，当年父母没能替我们走过的路，并不见得是坎坷太多，而是他们不具备代替的能力——就好像我们现在，你不能替一个优秀的儿子去彻底避免心中有时也想使坏的欲望——所以同样的，我们虽然已经具备了强大的力量，可以照顾年迈的父母和年幼的孩子，但我们依然像我们的父母一样——无法替孩子走他的成长路。

这样想的时候，或许作为父母的我们，会得到一种释然，然后愿意去了解，孩子与他的同伴之间每一天有什么故事在发生。

幸而阅读可以使我们和孩子一起变得丰富。当你拿着这套书和孩子一起读，你会发现：像卓宇洋这样的班长，也会为了虚荣撒谎，甚至用卑鄙的手段去报复同学；像陈果这样的熊孩子，他也会出于正直和善良，去帮助贫困的同伴，并勇敢举报黑网吧；哪怕像思睫这样的无敌学霸——"别人家的孩子"，她也会偷偷想，就真的变坏一下……

我们只能成为自己的孩子的父母，经验非常有限，然而我们的孩子却在无限的可能中成长，去结交各种各样的朋友，去经历只属于他们自己的生活。在那些我们看不到的校园生活里和孩子们在自己卧室中独处的时光中，究竟有什么故事在发生？

或许通过和孩子们一起读这一套书，您会有新的发现。

甚或您收获的不是新的发现，而是与孩子相互接纳，共同探索成长的心情。您会感到，有一种温暖在跳动。

致老师们：

饶雪莉老师在成为一位儿童文学作家之前，曾担任小学语文老师兼班主任长达十五年之久。

人生并没有那么多的十五年，尤其是被充分珍惜、耕耘过的十五年。

这十五年用于专业研究，饶老师成为国家金奖品德课的执教人，获评为省级优秀少先队辅导员；这十五年用于业余兴趣培养和才华发展，饶老师利用无数个夜晚，静静坐于灯下耕耘着她当时未必想到会越来越精彩的写作生涯。

我们可能在"班主任研修"的时候看到过被推荐的书单里，有那一套畅销书《别让孩子伤在小学》——那可以说是奠定了她在亲子教育阅读领域的权威的作品。

但是在那一切之外，她更多的作品，是写给孩子们看的，其中就有这一套"成长不迷茫校园励志小说"。每一本书就是一位少年的生动素描。这背后所呈现的海量素材，正来自于那十五年的丰厚积累。

上天成就每一个人的方式都是不一样的。

作为一名一线老师，从业十五年有可能会达到最佳的状态，辛勤耕耘的老师们都有这种可能。而饶雪莉老师为我们所呈现的是另一种可能，是通过她的勤奋与智慧，把她在儿童成长领域汲取的养分，通过写作的方式帮助更多的人化解烦恼。

这种帮助是什么呢？

于儿童本身，可以是那些亲切的成长共鸣；于家长，则可以是那些透过文字所联结的关于两代人之间的沟通桥梁。

于老师们,可以是什么?

首先,她的故事可能是一面又一面的镜子,故事里面的老师角色——无论是温柔聪慧的思雨老师,还是朋友般的夏春秋老师,当然还有充满阳光与理想的巴茨校长,读起来会不断地让我们想起刚入行业时的初心。难道我们不是一直希望自己能在教育行业里成为孩子们的知心朋友吗?当您看到故事里的老师们在面对孩子们的一个又一个成长案例时的处理方法,是否也有不由自主的代入感?

当然,师长的角色在这一套书里并不是主要的,因此作为另一种镜子的功能,或许我们可以清楚地照见,作为一名老师,饶雪莉以饱满的写作热情和独特的写作方式,为那群与我们朝夕相处的少年,创作了如此丰富多彩的系列故事,小学生个性培养、班级活动开展、家校沟通技巧等都在故事中有所体现,教师同行们完全可以领会出其中的奥妙,运用到自己的教育教学中。

作为教师,您是否愿意和与你朝夕相处的少年朋友们一起,来读一读这一套"成长不迷茫校园励志小说",去寻找一下那些少年世界的纯真与感动?甚或有一天,您也会因此得到鼓舞,打造和记录下专属于您和少年们的故事来。

上天成就每一个人的方式都是不一样的，于少年朋友如此，于父母如此，于老师们也如此。一个虚构的"甜蜜园小学"，却让我们认识了一个个仿佛就在身边的少年角色，了解了他们成长中的生动故事，感受到他们关于成长的细腻的心跳……

感谢饶雪莉老师为我们带来了这么美好的作品。

留住这些青涩的时光

焦玫（清华附小高级教师，北京市海淀区班主任、学科带头人）

　　恰逢执教六年级下学期，临近孩子们毕业，我阅读了饶雪莉老师的"成长不迷茫校园励志小说"系列。书中学生的名字虽然陌生，却让我看到了一张张熟悉的面孔：女学霸林思睫——十项全能的学生却怀揣着各种小心思；默默无闻的温西栋——平凡的学生也孕育着伟大的理想；爱幻想的女生杨梅希果——为了追求梦中的七色花不惜付出一切代价；优秀的班长也会遇到大烦恼，"霸王"男生原来也有说不出口的小秘密……这些学生和我身边的学生有着同样的快乐与烦恼，甜蜜园小学这座理想中的校园，其实就在我们每个人的身边……

　　作为一个专心带领学生通过阅读成长的老师，我也经常会问自己：我们为什么要阅读？想来其中至少会有这么一个理由：那就是在书中看到自己，看到与自己相似的人，思考着在遥远的地方还有一个和我很像的朋友。因此，我发自内心地认为阅读饶雪莉老师的书会带给孩子们更多的共鸣、安慰和鼓励。

　　我现在正执教六年级，六年级是小学六年中最奇特的年级，它和前面那五年有太多的不同——甜蜜的童年正在逝去，青涩的少年正走在成长的路上。面对未来，孩子们脑海中挂满了问号；面对伴随小升初到来的离别和即将面对的陌生环境，孩子们心中既有不舍又有期待！

"成长不迷茫校园励志小说"系列中的笨小孩温西栋就像是我们在毕业时会特别不舍的好友。校园生活中有太多这样的少年——普普通通，是每一个人的朋友。他和杨梅希果的互动也十分有趣，生活中这样的伙伴关系，经常会惹来同学们的猜测，但是有的男生女生就需要这样的特别支持，才会向着自己的理想迈出勇敢的一步。

在小学生的记忆中，有一种友情充满青涩，比如林思睫和陈果。林思睫是"别人家的孩子"，一个女学霸，成绩优异，而陈果却在另外一个极端。其实，少年期"坏"孩子往往有很多的支持者，因为他们总是在做着别人不敢做的事情。林思睫对陈果别样生活的期待是可以理解的，同时陈果也在林思睫的影响下，一直期待着一个让自己变成"参天大树"的机会……

在小学生的记忆中，有一种梦想充满勇气。杨梅希果就是一个爱追梦的女生，在追寻七色花的历程中，她付出了沉重的代价，也收获了友谊和自信。她最终明白，原来神奇的七色花就绽放在每颗善良的心里。饶雪莉老师在书里给予了这些孩子自由表达、思考的空间，同时又安排了那么多不忘初心的教师和理解孩子的父母，引导这些孩子在日复一日的快乐、迷茫、痛苦、欣喜中成长。

我最近在网上看到一句话——"你还留着小学时的日记吗？"我相信很多人已经找不到了吧。太多人早已经封存了那段记忆，遗忘了曾经简单而迷茫的日子。然而饶雪莉老师记录的这些甜蜜园小学的故事，帮我们每个人都留住了那段青涩的时光，我们能够在她的书中看到一个个过去的朋友。我衷心地希望，大人和孩子们都能留一段午后明媚的时光，打开饶雪莉老师的书，放一曲小学时听过的歌，孩子们会从中找到自己的影子，大人们也会从中忆起往昔岁月……

佩戴勋章，走出迷茫

戴荔（全国优秀辅导员、山东省好教师）

拿到"成长不迷茫校园励志小说"系列图书的那一刻，我便被封面右下角的"勋章"吸引："友爱勋章""积极勋章""坚强勋章"……是这一枚枚勋章引领小主人公们走出了成长的迷茫吗？

视线随着封面人物移动，气质忧郁的男生为什么和高傲的天鹅同框？安静的红围巾女孩与梅花鹿互相倚靠又暗示着什么？气质高贵的美少女与闪耀金光的红金鱼也一定不是任意组合吧……用心打磨的精致作品，封面上的每一个细节、每一处着色都独具匠心。我被深深地吸引了，带着想要了解封面上这些孩子的好奇心走进故事中，于是我看到了卓宇洋、嘻嘻派、林思睫、朱丽叶、陈果、杨梅希果……一个个人物鲜活了起来。

长相漂亮且家境优越的学霸林思睫，几乎拥有让人羡慕的一切，却依然无法忍受总是独自在家的落寞。读着她的故事，我也跟着她陷入思索：家是什么？假如缺失了父母的陪伴，那么纵使拥有令人艳羡的物质条件，一个人的家，再漂亮又如何呢？在我们生活的圈子里，这种情况并不少见。孩子最需要什么？我们以努力奋斗为由的无力陪伴是孩子需要的吗？面对父母日渐疏离的夫妻感情，这个学霸不再安于现状，在心仪男生"坏果子"的支持下，频频发力，不惜自毁形象从好孩子的神坛一下子掉入"坏孩子"的泥潭，直到使出"失踪"的"狠招儿"才将父母惊醒，最终挽救了这个即将分崩离析的家庭。饶雪莉老师用细腻的文字将林思睫经历的成长迷茫，以及为了走出迷茫所做的种种挣扎都生动地展现了出来。其实，仔细读来，故事中并没有惊天动地的大事件，但这些极度接近现实的情节始终牵绊着我，让我一口气读完了整个故事。

封面上这个气质高贵的美少女——学霸林思睫被代表着华丽与富贵的金鱼簇拥着，暗示着这个女孩虽然拥有让人艳羡的外在条件，但内心深处无时无刻不渴望着关心与陪伴。读完整个故事，我似乎才看懂了封面上的这幅画。

朱丽叶是一个典型的中等生代表。无论在哪个班，这样的孩子都占大多数。

朱丽叶相貌平平、成绩平平，她既无富裕的家庭背景，也没有拿得出手的好成绩。她和林思睫生活在同一座校园里，却经历着完全不一样的成长迷茫。如此不起眼的朱丽叶竟然和光彩照人的林思睫是好朋友，这让她不由得又生出几分自卑来。

当她被林思睫误会时，她陷入了无边的寂寞之中，发出无比难过的叹息："我不能没有友谊，那种孤单的滋味实在太难受。"啊，属于小学生的患得患失的友谊啊！

友谊对小学生来说，简直比学习成绩还重要。如果让他们在"考试失利"和"失去友谊"中选出哪件事更伤脑筋，九成以上的孩子会选择后者，尤其是像朱丽叶这样内向的女生。其实，她也有自己独特的优点——善解人意、宽容大度。善良的她同样能够收获同学们真挚的友谊，甚至，她还被和她一样善良的男生——温西栋默默地喜欢着。是什么给予朱丽叶这样迷人的魅力？原来，她有一对朴实却善良的养父母，视她为己出，陪伴她成长，和她平等对话，给了她温暖而幸福的童年。然而，这种幸福也成为她接受亲生父亲的阻碍。

那么，她又是如何走出自己的迷茫的呢？细读完故事，又翻回到封面，我看到朱丽叶背后的梅花鹿，突然醒悟：这梅花鹿不正象征了她的养父母、夏春秋老师和同学们吗？我觉得我的心和朱丽叶的心更近了。

凡事加一"大"字，便多了一份厚重，"大班长"这个称呼对小学生而言更是如此。

这套小说中的大班长——卓宇洋，他的成绩一直处在"塔尖"，是老师的得力助手，在同学中可以行使更多的"权力"，不过，他也同样经历着只属于他自己的成长迷茫。封面上的他，表情忧郁，让人看了就觉得心疼。我迫不及待地读起他的故事，想要了解小小的他究竟有着怎样的烦恼。可是，等我读完，却久久不能走出故事，我一再地品味着这个孩子走出迷茫的每一步，那是多么的不易啊！

卓宇洋的成长迷茫主要源于他无法接受自己父亲入狱的事实，因为这件事和他"大班长"的身份实在太不搭配了。于是，他陷入了谎言的纠缠，困顿其中不能自拔。还好，他身边有善解人意的秋芊、懂他的麦乐哥哥、温柔的思雨老师……他们用自己的真诚和热情帮助他勇敢地摆脱了谎言的纠缠，成长为一个光明磊落的男生。

这套书中还有很多个性鲜明的小主人公，比如嘻嘻派、杨梅希果、诺小米、叶俏俏、古天力……他们活跃在甜蜜园小学的柠檬班、橘子班、蜜桃班……这些孩子是幸福的，生活在不同的水果班，遇到的夏春秋老师、思雨老师就像太阳，每一天都给他们带来温暖，让他们的童年如同果实一般富含营养又清新芬芳。他们还有幸遇到了坚持用儿童视角来治校的巴茨校长，这更让他们的童年充满了快乐和自由。

就这样，雪莉老师用朴实、温婉的语言向我们讲述了一个个关于成长的故事，她对孩子的脉脉温情，在书中随处可见。

我再读一遍，竟有种幻觉——那位曾在教坛耕耘过十五年的雪莉老师，似乎就坐在我对面，跟我聊自己班级的闲话家常。她的书，值得我无数次翻阅、无数次思量。因为每一次阅读，我都能感受到她对孩子们的爱，她对成长的敬畏，以及她对家庭教育和学校教育的关注。我也能一次又一次地读出她的智慧和善良。

作为老师，我愿意相信在世界的每个角落，都有这样善良、聪慧的老师正在用自己的方式，帮助着一个又一个孩子走出成长的迷茫，乘着理想的风展翅高飞。我想，这套书是适合孩子们和老师们静心阅读的好书，因为它能让我们在每次会心一笑和怦然心动中，化解成长的烦恼，走进我们理想中的教育绿洲。

我将这套书放在了班级图书角。我发现一个孩子还未读完其中的一本，其他孩子就把这一套书中的其他本"瓜分"了。看来，一套不够！那我就多买几套，让每个小组都有一套，让全班同学都有机会读一读这些处在迷茫期的孩子的成长故事，也从中学会一些走出迷茫的好办法。

"老师，我也是大班长，我敬佩卓宇洋对学习的认真，可是，我不会跟他一样死要面子。"班长小成郑重其事地说。

"老师，以前别人一夸我长得好看，我就飘飘然起来，读完这套书我希望自己像林思睫一样，要让美貌配得上才华。"漂亮的小芝坦言。

"老师，当好朋友不高兴时，我也要像朱丽叶一样，多陪陪朋友，听朋友吐吐苦水，这样就算帮不上忙，也能让对方好受一些。"善解人意的小于认真地告诉我。

我愿意相信这样的好书能够走进更多孩子的心中，也成为越来越多的家长的枕边书。因为，家长可以在书中寻找自己的影子，寻找孩子的影子，被每一个故事中饱含的真情和善意感动，和孩子形成共鸣。

世界上每条河流中都会有浪花、旋涡、粼粼的波纹……这些浪花、旋涡、波纹就像孩子们在成长中经历的苦恼和快乐，无法避免。但是，遇到烦恼的孩子们可以借助饶雪莉老师的故事——"成长不迷茫校园励志小说"渐渐地释然。

教育是什么？我想教育就是离开学校数年后，内心依然感到教室很温暖，讲台很庄严，师生一起演绎的那一段段故事很感动。我想教育是孩子向未知世界张望的一扇窗，也是已经成年的我们回望过往的一道门。

"成长不迷茫校园励志小说"是一部关于孩子走出迷茫的修炼手册，它让孩子和我们一起佩戴勋章，浅吟低唱，走出迷茫，健康成长。

绘者按：

只要用心，成长就不会迷茫

子鹓坊·王莺

在一个很冷的冬日，我接到了新天地童书编辑的电话，约我为新书"成长不迷茫校园励志小说"绘制封面插图。当时，我的工作档期非常紧张，但是听了编辑对这套书的介绍，我决定试试看。谁知，阅读了编辑发来的故事，我竟一下就喜欢上了。青葱时读书的那些点点滴滴的记忆，涌上心头：哭过的，笑过的；低头不语之时，仰望天空之时；那些童话般的成长日子里，风里面总带着青草的芬芳……

故事中的情节与自己童年时的情景，蒙太奇一样融在一起，浮现于心。我如同做了一场美好的梦，醒来之后迫不及待想要把这种美好的感觉呈现出来。

于是，我很开心地跟编辑说："我要画！"

答应邀约总是简单的一句话，可当真正开始创作的时候，我却又陷入了僵局：整套书共十二册，每一册围绕一个孩子讲述一个学期的校园故事。每一个孩子都有自己的性格,如何在短时间内,很好地表达出每个主人公的个性和他们经历的成长故事,真的是一个难题!

草图来来回回做了好几张,我都不满意:要么表达了人物的性格,却无法将这么多幅画面相互关联,达成统一;要么统一了风格,却落于形式,完全无法凸显童年的灵性。我捧着编辑发来的书稿一遍遍地读,却还是找不到突破点。

说来也巧,子鹆坊工作室位于杭州野生动物园对面,有一个周末,我站在办公室的落地窗前苦思冥想,突然注意到动物园门口的大屏幕上播放着各种动物的科普视频,一群开心的孩子正在动物园里开心地玩,而与此同时,一群欢快的小鸟飞上了天空。本来陷入沉思的我,忽然感到灵光一现——或许可爱的动物可以很好地诠释故事中可爱的主人公!

于是,在我的脑海中出现了这些景象:聪明、漂亮的“女学霸”林思睦和骄傲、华丽的金鱼共同起舞;善良、敏感的朱丽叶和温顺、柔美的梅花鹿倚靠在一起;外表淘气,但品质很好的陈果的背后跃起了一头活泼有力的虎鲸;憨厚、老实的温西栋和呆萌、温暖的熊相依相伴;长相一样但性格各异的姐妹花和姿态各异的白鸽一起在天空中飞舞;外表骄傲、内心孤独的卓宇洋和高傲的天鹅忧伤地在一起……

为了画好这些意象，我在紧张的工作档期中，专门抽出几天时间，静下心来去野生动物园写生，仔细观察动物的特征，结合小主人公们的性格，思考人物和动物的姿态搭配和构图布局，以及色调的安排。

例如班长卓宇洋，我了解他忧郁的心情，他被班里同学孤立后的苦恼，还有他放不下虚荣心的状态。我选择了冬天落满雪的树林作为背景，正是希望将他内心的孤独外化，传达给小读者。上色的方法，我跟团队讨论之后，选择了湿画法。映衬雪景，用了大量的渲染，先铺一层水，等到半干的时候，快速地着色，晾干后，再铺一层颜色。在上色时，我们必须小心地避开主人公和天鹅的轮廓线，要求迅速且准确，如此反复，一幅画，竟是要来来回回做五六遍颜色才能显得层次分明。最后着重刻画卓宇洋眉宇之间的落寞，以及洋洋洒洒的雪，相互衬托。

为了把这些意象完美地呈现出来，我和编辑，我和我的团队进行的沟通真是难以计数。我们每一天都创作到很晚，甚至有好几次，不知不觉就忙到天亮了。这一年多的时光确实很辛苦，但每一天于我们而言都有满满的成就感。

在最后一张画稿完工时，阳光一晃，一下子照亮了整个世界。路边的梅花红艳艳一团，玉兰树也努力地露出了娇嫩的花苞。我想，只要用心，成长就不会迷茫。我的每一幅画，对我来说都是一次成长。成长虽然辛苦，但是也很美好。我喜欢这个关于成长的系列故事，也尽了自己的一份心力来诠释我的喜欢。

愿所有的小读者都可以在阅读中化解成长的烦恼，用心去体会成长中特有的温暖和愉悦，从书中获取成长的力量，让成长不再迷茫。